Il ne faut jurer de rien
jurer de rien
Un caprice

W9-DDR-127

MUSSET

Édition présentée par
Sylvain LEDDA
Agrégé de lettres modernes
Professeur de théâtre
– expression dramatique

UNIVERS des LETTRES BORDAS

www.universdeslettres.com

L'ESPRIT DE LA SCÈNE

1. Renaud Bécard (VALENTIN) dans *Il ne faut jurer de rien*, mise en scène d'Yves Beaunesne, Sceaux, Les Gémaux, 1998.

2. Roland Blanche (VAN BUCK) et Éric Elmosnino (VALENTIN) dans *Il ne faut jurer de rien*, mise en scène de Jean-Pierre Vincent, Nanterre, Théâtre des Amandiers, 1993.

3. Agathe Dronne (CÉCILE), Hélène Alexandridis (LA BARONNE) et Frédéric Cuif (L'ABBÉ) dans *Il ne faut jurer de rien*, mise en scène d'Yves Beaunesne, Sceaux, Les Gémaux, 1998.

4. Siblot (VAN BUCK) et Pierre Fresnay (VALENTIN) dans *Il ne faut jurer de rien* à la Comédie-Française en 1926. (Paris, bibliothèque de la Comédie-Française.)

5. Mirabelle Kirkland (MADAME DE LÉRY), David Bouchard (M. DE CHAVIGNY) et Phillis Yordlan (MATHILDE) dans *Un caprice*, mise en scène de Jacques Connort, Paris, Théâtre du Lucernaire, 1994.

6. Madelaine Marion (LA BARONNE), Roland Blanche (VAN BUCK) et Isabelle Carré (CÉCILE) dans *Il ne faut jurer de rien*, mise en scène de Jean-Pierre Vincent, Nanterre, Théâtre des Amandiers, 1993.
> LECTURE DE L'IMAGE, p. 149.

7. Tihame von Margitay, *Jalousie*, XIXe siècle, huile sur toile.

8. École française, *Paul et Virginie dans la forêt*, XIXᵉ siècle, huile sur toile. (Paris, musée d'Orsay.)

9. *Un dandy américain en 1845*, lithographie.

REGARDS
SUR L'ŒUVRE

L'EMPIRE	LA RESTAURATION		LA MONARCHIE		II° EMPIRE	III° RÉPUBLIQUE
	LOUIS XVIII	CHARLES X	DE JUILLET		NAPOLÉON III	
			LOUIS-PHILIPPE I°			

1804	1814	1824	1830	1848	1851	1870
			(révolution de Juillet)	(révolution)	(coup d'État du 2 déc.)	(guerre franco-allemande)

II° RÉPUBLIQUE

1799	BALZAC	1850		

1802	DUMAS	1870

1802	HUGO	1885

1804	SAND	1876

1808	NERVAL	1855

1810	**MUSSET**	**1857**

1811	GAUTIER	1872

ŒUVRES DE MUSSET

1828	*L'Anglais mangeur d'opium* (traduction) ◆
1829	*Contes d'Espagne et d'Italie* □
1830	*La Nuit vénitienne* ●
1831	*Suzon* □
1832	*Un spectacle dans un fauteuil* ●
1833	*André del Sarto* ● *Les Caprices de Marianne* ●
1834	*Fantasio* ● *On ne badine pas avec l'amour* ● *Lorenzaccio* ●
1835	*La Quenouille de Barberine* ● *Le Chandelier* ●
1836	*La Nuit de mai* □ *La Nuit de décembre* □

	La Confession d'un enfant du siècle ◆
	Il ne faut jurer de rien ●
	Emmeline ◆
	Les Deux Maîtresses ◆
1836-1837	*Lettres de Dupuis et Cotonet* ◆
1837	**Un Caprice** ● *Frédéric et Bernerette* □ *Le Fils du Titien* □
1838-1839	*Margot* ◆ *Croisilles* ◆
1845	*Mimi Pinson* □ *Il faut qu'une porte soit ouverte ou fermée* ● *On ne saurait penser à tout* ●
1849	*Bettine* ● *L'Âne et le Ruisseau* ●

● Théâtre   □ Poésie   ◆ Roman et nouvelles

LIRE AUJOURD'HUI
IL NE FAUT JURER DE RIEN
ET *UN CAPRICE*

Il ne faut jurer de rien et *Un caprice* paraissent successivement le 1er juillet 1836 et le 15 juin 1837 dans la *Revue des Deux Mondes*. Il s'agit de deux proverbes*. Ce genre dramatique, particulièrement en vogue dans la seconde moitié du XVIIIe siècle, a pour vocation de mettre en scène une intrigue divertissante qui illustre un proverbe ou une maxime. Dans une certaine mesure, ce genre est proche de celui de la comédie de mœurs ; ils ont en commun le souci de dépeindre la société tout en fustigeant ses travers. Les deux pièces comportent des similitudes formelles et thématiques. Dans les deux cas, l'univers représenté est proche de celui de Musset ; ses préoccupations, ses goûts et ses habitudes transparaissent dans les dialogues, non sans une certaine forme d'autodérision.

L'intrigue d'*Il ne faut jurer de rien* est assez simple : Van Buck veut marier son neveu Valentin à Cécile de Mantes. Mais le jeune homme, dandy* et libertin*, craint de se retrouver prisonnier du mariage, et il est convaincu qu'il sera trompé par sa future épouse. Son tempérament romanesque* lui dicte un stratagème pour rencontrer Cécile d'une façon peu traditionnelle. La pièce, vive et rythmée, révèle à Valentin sa vérité : il devient la dupe du roman qu'il a rêvé et se prend finalement au jeu de l'amour et du hasard.

Un caprice illustre l'art et la manière de mettre à l'épreuve un mari qui, après un an de mariage, néglige quelque peu sa gentille épouse. La verve de l'inénarrable Mme de Léry illumine ce petit proverbe de salon. Musset place dans toutes ses paroles de profondes vérités sur le cœur humain, avec un accent tonique et brillant.

Souvent drôles, ces proverbes sont cependant plus que de simples divertissements : ils révèlent l'étendue de la palette de Musset qui manie avec virtuosité l'art du théâtre et l'humour spirituel.

---

* Les astérisques renvoient aux « Termes de critique », p. 210-211.

REPÈRES

L'AUTEUR : Alfred de Musset.

PREMIÈRES PUBLICATIONS : dans la *Revue des Deux Mondes*, le 1ᵉʳ juillet 1836 pour *Il ne faut jurer de rien*, le 15 juin 1837 pour *Un caprice*.

PREMIÈRES REPRÉSENTATIONS : 1848, au Théâtre-Français, dans une version remaniée (*Il ne faut jurer de rien*) ; 1839 en Russie, puis 1847 au Théâtre-Français (*Un caprice*).

LE GENRE : Musset intègre *Il ne faut jurer de rien*, qui relève des deux genres, au volume des *Comédies et Proverbes* en 1840 ; *Un caprice* est le premier véritable proverbe* de salon d'Alfred de Musset.

LE CONTEXTE : la monarchie de Juillet voit le triomphe de la bourgeoisie ; en septembre 1835, la censure est rétablie après l'attentat de Giuseppe Fieschi contre Louis-Philippe ; Musset a rompu définitivement avec George Sand à l'automne 1835 ; il noue une première liaison avec Mme Jaubert (1835-1836), puis une deuxième avec Aimée d'Alton (1837).

IL NE FAUT JURER DE RIEN

• **Structure** : trois actes, huit scènes.

• **Lieu et temps** : à Paris et dans ses environs, vers 1835.

• **Personnages** : Valentin, un jeune dandy* amateur de plaisirs ; son oncle, Van Buck, grognon mais généreux ; Cécile de Mantes, jeune fille bien élevée et faussement naïve ; la baronne, sa mère, étourdie et soucieuse des convenances ; l'abbé, ami de la baronne, infatigable joueur de cartes.

• **Intrigue** : Van Buck veut marier Valentin à Cécile ; le jeune homme refuse cette union arrangée et propose à son oncle de rencontrer la jeune femme et de la conquérir par des moyens romanesques*.

• **Durée** : une journée, du matin à la nuit.

• **Enjeux** : un tableau satirique* de la bonne société de 1830 et des mœurs de l'Ancien Régime ; une analyse de la psychologie amoureuse et de ses contradictions ; un proverbe qui use de tous les ressorts du comique ; un sens aigu du théâtre (vif tempo dramatique, espaces symboliques, présence subtile du lyrisme* amoureux, dialogues jubilatoires).

UN CAPRICE

• **Structure** : huit scènes.

• **Lieu et temps** : à Paris, en 1837, dans la chambre d'une jeune femme mariée depuis un an.

• **Personnages** : Mathilde, dévouée et amoureuse de son mari ; Chavigny, son époux un peu plus âgé qu'elle, séducteur aguerri aux caprices, c'est-à-dire aux aventures galantes ; Mme de Léry, amie de Mathilde, jeune femme d'expérience, spirituelle et cynique.

• **Intrigue** : Mathilde confectionne depuis quinze jours une bourse rouge pour Henri, son époux. Au moment où elle veut la lui offrir, il lui montre une bourse bleue qu'une autre lui a donnée. Mathilde réclame à genoux la bourse bleue, en vain. Ernestine de Léry, son amie, lui promet de la venger et de donner une leçon à Chavigny.

• **Durée** : une soirée, de huit heures à minuit.

• **Enjeux** : un proverbe sur la frivolité des hommes ; défense et illustration de l'esprit féminin ; une peinture fine de la bonne société parisienne ; des dialogues brillants ; un travail d'orfèvre sur la langue, les jeux de mots et les sous-entendus.

MUSSET,
IL NE FAUT JURER DE RIEN
ET UN CAPRICE

UN ENFANT DU SIÈCLE

Louis-Charles Alfred de Musset naît à Paris sous l'Empire, en 1810. Son enfance et son adolescence se déroulent dans la capitale sous la Restauration (1814-1830). Issu de la petite noblesse, Musset grandit dans un terreau favorable à l'amour de l'art et de la littérature : son père, Musset-Pathay, réalise une édition des *Œuvres complètes* de Jean-Jacques Rousseau en 1819. Ce double héritage semble avoir marqué profondément l'enfant aux cheveux blonds et ondulés. Très jeune, Musset témoigne d'une vive sensibilité ; il manifeste des facilités intellectuelles nourries par l'émulation familiale, la lecture de romans d'aventures et de contes. Ces scènes d'enfance heureuse s'épanouissent aussi à la campagne, chez son oncle Guyot-Desherbiers ; l'atmosphère bucolique de certaines œuvres en portent la réminiscence nostalgique.

Élève au collège Henri-IV, Musset a pour condisciples le duc d'Orléans (le fils du futur Louis-Philippe) et Paul Foucher, futur beau-frère de Victor Hugo. Ces amitiés lui ouvrent les portes des milieux aisés et lettrés. La jeunesse d'Alfred, en compagnie de son frère aîné Paul – qui sera un biographe dévoué mais peu objectif – et de sa petite sœur Hermine, est entourée d'un amour maternel qui ne se démentira jamais, même dans les moments de crise. Toutefois, la sensibilité du jeune Musset a ses revers. C'est un enfant fragile nerveusement que sa mère protège avec indulgence. À quatorze ans, Musset est un jeune homme blond et mince, presque androgyne. Il dédie ses premiers vers à sa mère.

JEUNESSE DORÉE

À seize ans, Musset écrit dans une lettre à son ami Foucher : « Je voudrais être Shakespeare ou Schiller. » Ce désir présomptueux et naïf traduit un choix pour l'écriture très tôt affirmé qui préfigure l'exaltation littéraire d'un jeune Rimbaud. Après un baccalauréat obtenu sans éclat, Musset commence des études de droit et les abandonne presque aussitôt. Il se sent déjà poète. Sous l'autorité paternelle, il tente des études de médecine qui s'achèvent à la première séance de dissection. Musset est un jeune homme doué mais qui ne se sent pas fait pour un métier. La fréquentation des cercles à la mode, l'influence de ses indéfectibles compagnons, Ulrich Guttinguer et Alfred Tattet, font de lui un jeune homme élégant, dandy* amateur de femmes plus ou moins faciles. Dans *Il ne faut jurer de rien*, il donne à Valentin une image assez proche de la sienne. À dix-huit ans, il fait ses premiers pas dans le monde littéraire et rencontre aussi son premier échec amoureux auprès de la marquise de La Carte. Cette déconvenue cristallise sa défiance à l'égard du sexe féminin ; la crainte d'être trompé fait désormais partie de l'univers poétique du jeune homme.

Introduit dans les cénacles romantiques de Charles Nodier et de Victor Hugo, Musset connaît très jeune la gloire littéraire. Il côtoie des aînés, tels qu'Alfred de Vigny ou Prosper Mérimée, qui l'encouragent à poursuivre dans l'écriture. À la fin de l'année 1829, il publie un premier recueil de vers, *Contes d'Espagne et d'Italie*, qui, tout en sacrifiant à la vogue de la couleur locale*, étonne par sa liberté de ton et de forme. Coup de génie ou brillante provocation, cette première œuvre mêle les genres et les registres de façon subtile, et contient en germe les thèmes de toute sa production ultérieure. Chez Musset, la poésie ne va pas sans le théâtre, qui le hante. Sa première pièce, *La Quittance du diable*, adaptée de Walter Scott, n'est pas jouée. La seconde, une comédie originale, *La Nuit vénitienne*, est créée en décembre 1830. C'est un échec total, la pièce est retirée de l'affiche après deux représentations. Blessé, Musset dit « Adieu à la ménagerie ». Pendant dix-sept ans, il écrira pour une scène imaginaire, s'affranchissant ainsi de toutes les contraintes de la représentation.

L'année 1832 est décisive dans la vie du jeune poète. L'épidémie de choléra qui frappe Paris au printemps emporte son père : à vingt et un ans Musset doit s'assumer matériellement et soutenir sa famille. Tenté un instant par la carrière militaire, il décide finalement de vivre de sa plume et s'engage à collaborer à la *Revue des Deux Mondes*, dirigée par l'influent François Buloz. À la fin de cette même année paraît le premier *Spectacle dans un fauteuil*, composé de trois œuvres en vers très différentes : un drame, *La Coupe et les Lèvres*, une comédie, *À quoi rêvent les jeunes filles*, et un long poème narratif, *Namouna*. Musset entre dans l'âge adulte.

ON NE BADINE PAS AVEC LA VIE

Entre 1833 et 1838, Musset vit la période la plus dense de son existence et offre à la postérité plusieurs chefs-d'œuvre. La création devient le miroir de l'existence du poète. Le mythe de l'amour meurtri rejoint la réalité lorsque, au printemps 1833, il rencontre George Sand. Ils s'aiment passionnément, se le disent, se l'écrivent et le vivent. Mais à Venise, au début de l'hiver 1834, George trompe Alfred. Cette trahison ouvre deux années de déchirements et de réconciliations. Ils s'aiment mais ne peuvent vivre cet amour. Musset est sujet à des crises nerveuses qui se caractérisent par un dédoublement de lui-même et des accès de violence suivis d'une profonde torpeur. Cette pathologie est aggravée par les abus d'alcool et les tourments d'une relation impossible. À l'automne 1835, les amants se séparent définitivement. Comme le note avec justesse le critique Frank Lestringant dans sa biographie, c'est « le sacrifice ». Leurs adieux sont auréolés d'un mystère que *La Confession d'un enfant du siècle* (1836) ne résout pas. L'aventure douloureuse des « amants de Venise » donne lieu à une correspondance passionnée qui passe très vite de la sphère intime à celle de la fiction, de la réalité au mythe personnel. Certains passages d'*On ne badine pas avec l'amour* (1834) reprennent presque mot pour mot la correspondance des amants. Cette expérience amoureuse, douloureuse et sublime, emprunte un chemin littéraire dans des œuvres majeures : *On ne badine pas avec l'amour, La Confession d'un enfant du siècle* et le cycle poétique des *Nuits* (1835-1837).

Cette tumultueuse passion n'a pas guéri Musset de son goût pour la débauche et l'absinthe. Toutefois, en 1835, le jeune homme se lie à Mme Jaubert, qu'il surnomme sa « marraine » et qui servira de modèle à Mme de Léry. De cette brève liaison naît une belle amitié ; quelques mois plus tard, Alfred fait la connaissance d'Aimée d'Alton, cousine de Mme Jaubert. Celle qu'il surnomme sa « nymphe poupette » lui apporte l'apaisement et lui inspire le personnage de Mathilde d'*Un caprice*. La jeune femme offre en effet une bourse à Musset qu'elle juge un peu trop dépensier. Cet accessoire de dandy fait naître *Un caprice* et l'intrigue du *Fils du Titien*. Mais face à l'engagement d'un éventuel mariage, Musset fait volte-face et quitte Aimée. Ces deux aventures amoureuses influencent cependant la production de Musset : *Il ne faut jurer de rien* et *Un caprice* peuvent se lire comme des pièces autobiographiques dans lesquelles Musset transcrit ces amours apaisées. En 1838, il est nommé conservateur de la Bibliothèque du ministère de l'Intérieur, mais il n'est pas assidu. Il tombe gravement malade en 1840. À l'issue de sa convalescence, il dresse un bilan pathétique de sa vie dans le sonnet *Tristesse* :

« Le seul bien qui me reste au monde
Est d'avoir quelquefois pleuré. »

À trente ans, Musset n'est plus un jeune homme blond et charmant mais un homme jeune qui porte déjà les stigmates d'une déchéance prématurée.

SPLENDEURS ET MISÈRES D'UN VIEUX COURTISAN

Des années 1840 jusqu'à sa mort, Musset connaît une lente décrépitude morale et intellectuelle. Sa descente aux enfers est « traversée çà et là par de brillants soleils », mais sa santé s'altère, aggravée par un alcoolisme notoire et des abus divers. Sa production s'en ressent et, certaines années, il n'écrit rien ou presque (1846, 1847). Ponctuellement, Musset rédige quelques contes, des proverbes*. En 1847, *Un caprice* connaît cependant un vif succès à la Comédie-Française. Ce proverbe écrit dix ans plus tôt est le talisman de Musset ; il lui ouvre les portes du théâtre où enfin il est joué, quittant le fauteuil de salon pour celui du parterre. Certaines de ses pièces de jeunesse sont créées : *André del Sarto, Les Caprices de Marianne, Fantasio, Le Chandelier, Il ne faut jurer de rien*. Malheureusement, Musset accepte de les remanier pour la scène. Il mutile ainsi les passages les plus suggestifs de son théâtre, modifiant les répliques et la structure des scènes. De nouvelles œuvres lui sont commandées, mais le génie n'est plus au rendez-vous : *Bettine* (1851), donnée au Théâtre du Gymnase, ne rencontre pas le succès espéré.

La fin de la vie de Musset est également marquée par l'obtention de reconnaissances officielles. En 1845, il reçoit la Légion d'honneur, et, en 1852, après trois tentatives, il entre à l'Académie française. Ces honneurs un peu vains et des accointances avec le régime de Napoléon III suscitent quelques railleries, voire le mépris d'écrivains comme Gustave Flaubert ou Charles Baudelaire, et plus tard Arthur Rimbaud. Musset se fourvoie de plus en plus dans la médiocrité, sa verve et son esprit s'étiolent, l'éternel adolescent n'est plus que l'ombre d'Orphée. En mai 1857, usé par la maladie et rongé par l'alcool, Musset s'éteint. Il est inhumé au cimetière du Père-Lachaise ; le cortège funèbre, conduit par Mérimée, ne compte qu'une poignée d'amis. Selon la volonté de Musset, exprimée dans l'élégie *Lucie* (1835), un saule pleureur est planté sur sa tombe : le mythe du poète désenchanté s'accomplit dans cet acte symbolique.

SOURCES D'*IL NE FAUT JURER DE RIEN* ET D'*UN CAPRICE*

Plusieurs sources peuvent éclairer la naissance d'*Il ne faut jurer de rien* et d'*Un caprice* : le goût de Musset pour le genre du proverbe, son affection pour la littérature du siècle passé et des éléments de sa vie personnelle. Depuis l'enfance, Musset est familier du genre du proverbe : son grand-père maternel et son ami intime Carmontelle étaient tous deux auteurs de proverbes à succès. Comme en témoignent les titres de ses pièces, Musset a toujours eu une prédilection pour ce genre (*Les Marrons du feu, La Coupe et les Lèvres, On ne badine pas avec l'amour*). Mais la critique admet également l'influence d'auteurs tels que Marivaux parmi les sources d'*Il ne faut jurer de rien*. La pièce pourrait bien s'intituler « La Surprise de l'amour » ou « Le Jeu de l'amour et du hasard ». Comme souvent les personnages de Marivaux, Valentin a en effet recours au déguisement pour séduire Cécile. L'influence de Molière plane aussi sur la pièce. Certains éléments renvoient au *Bourgeois gentilhomme* (scène du maître de danse) ; et l'attitude de Mme de Léry dans *Un caprice* fait penser à la Célimène du *Misanthrope*. Bref, de nombreux échos intertextuels sont décelables dans les deux proverbes. La vie personnelle de l'auteur influence également les œuvres, comme la bourse que sa maîtresse lui adresse au printemps 1837. Les éléments de la vie réelle deviennent, comme souvent chez Musset, le prétexte à la fiction. Finalement, les amours plus heureuses de Musset avec Mme Jaubert, puis avec sa cousine Aimée d'Alton, participent au climat plus léger des deux œuvres.

Eugène Louis Lami, *Alfred de Musset*,
XIXᵉ siècle, eau-forte.

Il ne faut jurer de rien

MUSSET

Proverbe

Les personnages

Van Buck, *négociant*.
Valentin Van Buck, *son neveu*.
Un abbé.
Un maître de danse.
Un aubergiste.
Un garçon.
La baronne de Mantes.
Cécile, *sa fille*.

ACTE PREMIER
SCÈNE PREMIÈRE
La chambre de Valentin.
VALENTIN, *assis. – Entre* VAN BUCK.

VAN BUCK. Monsieur mon neveu, je vous souhaite le bonjour.

VALENTIN. Monsieur mon oncle, votre serviteur.

VAN BUCK. Restez assis ; j'ai à vous parler.

5 VALENTIN. Asseyez-vous ; j'ai donc à vous entendre. Veuillez vous mettre dans la bergère[1], et poser là votre chapeau.

VAN BUCK, *s'asseyant.* Monsieur mon neveu, la plus longue patience et la plus robuste obstination doivent, l'une et l'autre, finir tôt ou tard. Ce qu'on tolère devient intolérable,
10 incorrigible ce qu'on ne corrige pas ; et qui vingt fois a jeté la perche à un fou qui veut se noyer, peut être forcé un jour ou l'autre de l'abandonner ou de périr avec lui.

VALENTIN. Oh ! oh ! voilà qui est débuter, et vous avez là des métaphores qui se sont levées de grand matin.

15 VAN BUCK. Monsieur, veuillez garder le silence, et ne pas vous permettre de me plaisanter. C'est vainement que les plus sages conseils, depuis trois ans, tentent de mordre sur vous. Une insouciance ou une fureur aveugle, des résolutions sans effet, mille prétextes inventés à plaisir, une
20 maudite condescendance, tout ce que j'ai pu ou puis faire encore (mais, par ma barbe ! je ne ferai plus rien !)… Où me menez-vous à votre suite ? Vous êtes aussi entêté…

VALENTIN. Mon oncle Van Buck, vous êtes en colère.

VAN BUCK. Non, monsieur, n'interrompez pas. Vous êtes
25 aussi obstiné que je me suis, pour mon malheur, montré crédule et patient. Est-il croyable, je vous le demande, qu'un jeune homme de vingt-cinq ans passe son temps comme vous le faites ? De quoi servent mes remontrances, et quand

---

1. **Bergère :** large et profond fauteuil garni de coussins.

prendrez-vous un état[1] ? Vous êtes pauvre, puisqu'au bout
30 du compte vous n'avez de fortune que la mienne ; mais,
finalement, je ne suis pas moribond[2], et je digère encore
vertement. Que comptez-vous faire d'ici à ma mort ?

VALENTIN. Mon oncle Van Buck, vous êtes en colère, et
vous allez vous oublier.

35 **VAN BUCK.** Non, monsieur, je sais ce que je fais ; si je suis le
seul de la famille qui se soit mis dans le commerce[3], c'est
grâce à moi, ne l'oubliez pas, que les débris d'une fortune
détruite ont pu se relever. Il vous sied bien[4] de sourire quand
je parle ; si je n'avais pas vendu du guingan[5] à Anvers, vous
40 seriez maintenant à l'hôpital[6] avec votre robe de chambre à
fleurs. Mais, Dieu merci, vos chiennes de bouillottes[7]…

VALENTIN. Mon oncle Van Buck, voilà le trivial[8] ; vous
changez de ton ; vous vous oubliez ; vous avez mieux
commencé que cela.

45 **VAN BUCK.** Sacrebleu ! tu te moques de moi. Je ne suis
bon apparemment qu'à payer tes lettres de change[9] ? J'en ai
reçu une ce matin : soixante louis[10] ! Te railles-tu des gens ?
il te sied bien de faire le fashionable[11] (que le diable soit des
mots anglais !) quand tu ne peux pas payer ton tailleur !

---

1. **État :** emploi, profession, situation sociale.
2. **Moribond :** près de mourir, agonisant.
3. **Commerce :** Van Buck est un aristocrate qui a fait fortune dans le
négoce. La monarchie de Juillet est une période d'enrichissement pour la
noblesse qui n'hésitait pas à spéculer.
4. **Il vous sied bien :** cela vous va bien. Du verbe *seoir*, qui signifie
« convenir », « aller ».
5. **Guingan :** étoffe de coton assez épaisse tissée au comptoir de Pondichéry.
6. **Hôpital :** hospice, lieu où l'on accueille les nécessiteux.
7. **Bouillotte :** jeu de cartes inventé sous le Directoire (1795-1799) et qui
se joue très rapidement. Musset était grand amateur de jeux.
8. **Trivial :** vulgaire.
9. **Lettre de change :** document officiel qui impose de régler ses dettes à
son créancier à une date précise.
10. **Louis :** ancienne monnaie d'or.
11. **Fashionable :** anglicisme qui désigne un jeune homme à la mode,
élégant, soucieux de son apparence.

50 C'est autre chose de descendre d'un beau cheval pour
retrouver au fond d'un hôtel une bonne famille opulente, ou
de sauter à bas d'un carrosse de louage pour grimper deux
ou trois étages. Avec tes gilets de satin, tu demandes, en
rentrant du bal, ta chandelle à ton portier, et il regimbe[1]
55 quand il n'a pas eu ses étrennes[2]. Dieu sait si tu les lui
donnes tous les ans ! Lancé dans un monde plus riche que
toi, tu puises chez tes amis le dédain de toi-même ; tu portes
ta barbe en pointe et tes cheveux sur les épaules[3], comme
si tu n'avais pas seulement de quoi acheter un ruban pour
60 te faire une queue[4]. Tu écrivailles dans les gazettes, tu es
capable de te faire saint-simonien[5] quand tu n'auras plus ni
sou ni maille, et cela viendra, je t'en réponds. Va, va, un écrivain public[6] est plus estimable que toi. Je finirai par te
couper les vivres, et tu mourras dans un grenier.

65 **VALENTIN.** Mon bon oncle Van Buck, je vous respecte et je
vous aime. Faites-moi la grâce de m'écouter. Vous avez payé
ce matin une lettre de change à mon intention. Quand vous
êtes venu, j'étais à la fenêtre, et je vous ai vu arriver ; vous
méditiez un sermon juste aussi long qu'il y a d'ici chez vous.
70 Épargnez, de grâce, vos paroles. Ce que vous pensez, je le
sais ; ce que vous dites, vous ne le pensez pas toujours ; ce
que vous faites, je vous en remercie. Que j'aie des dettes et

---

1. **Regimbe** : manifeste son mécontentement.
2. **Étrennes** : dans la bonne société, il était de coutume de donner une
petite somme aux domestiques pour la nouvelle année.
3. Les jeunes gens à la mode se coiffaient ainsi. Musset adopta cette apparence
dans sa jeunesse. On peut donc deviner un autoportrait à peine masqué.
4. **Queue** : manière d'attacher ses cheveux (appelée aussi catogan) pratiquée
dans la seconde moitié du XVIIIe siècle, encore en vogue dans les années
1820.
5. **Saint-simonien** : Claude Henri de Saint-Simon (1760-1825), philosophe
et économiste, prône des idées « sociales », notamment celles du partage
des biens, du refus de la propriété privée, des lois sur l'héritage. Van Buck
est évidemment un farouche détracteur du saint-simonisme.
6. **Écrivain public** : personne qui rédige des documents pour ceux qui ne
savent pas écrire. Cette fonction, très répandue au XIXe siècle, a presque
disparu aujourd'hui.

que je ne sois bon à rien, cela se peut ; qu'y voulez-vous faire ? Vous avez soixante mille livres de rente…

75 **VAN BUCK.** Cinquante.

VALENTIN. Soixante, mon oncle ; vous n'avez pas d'enfants, et vous êtes plein de bonté pour moi. Si j'en profite, où est le mal ? Avec soixante bonnes mille livres de rente…

VAN BUCK. Cinquante, cinquante ; pas un denier[1] de plus.

80 **VALENTIN.** Soixante ; vous me l'avez dit vous-même.

VAN BUCK. Jamais. Où as-tu pris cela ?

VALENTIN. Mettons cinquante. Vous êtes jeune, gaillard encore, et bon vivant. Croyez-vous que cela me fâche, et que j'aie soif de votre bien ? Vous ne me faites pas tant d'injure[2], et
85 vous savez que les mauvaises têtes n'ont pas toujours les plus mauvais cœurs. Vous me querellez de ma robe de chambre : vous en avez porté bien d'autres. Ma barbe en pointe ne veut pas dire que je sois un saint-simonien : je respecte trop l'héritage. Vous vous plaignez de mes gilets ; voulez-vous qu'on
90 sorte en chemise ? Vous me dites que je suis pauvre, et que mes amis ne le sont pas ; tant mieux pour eux, ce n'est pas ma faute. Vous imaginez qu'ils me gâtent et que leur exemple me rend dédaigneux : je ne le suis que de ce qui m'ennuie, et puisque vous payez mes dettes, vous voyez bien que je
95 n'emprunte pas. Vous me reprochez d'aller en fiacre[3] : c'est que je n'ai pas de voiture. Je prends, dites-vous, en rentrant, ma chandelle chez mon portier : c'est pour ne pas monter sans lumière ; à quoi bon se casser le cou ? Vous voudriez me voir un état : faites-moi nommer premier ministre, et vous
100 verrez comme je ferai mon chemin. Mais quand je serai surnuméraire[4] dans l'entresol d'un avoué, je vous demande ce que j'y apprendrai, sinon que tout est vanité. Vous dites

---

1. **Denier** : ancienne monnaie de très faible valeur.
2. **Injure** : offense, outrage.
3. **Fiacre** : voiture à cheval, de louage.
4. **Surnuméraire** : employé subalterne, non titulaire et peu rémunéré.

◼ SITUER

Le proverbe* débute de bon matin par un échange assez vif entre Van Buck et Valentin. L'oncle a préparé un discours moralisateur auquel Valentin répond avec esprit et bonne humeur…

◼ RÉFLÉCHIR

DRAMATURGIE : le lieu et le moment

1. Où se situe la scène ? Comment peut-on expliquer ce choix de Musset ? Quel sens donner à cet espace de jeu ?

2. Quels sont les gestes et les mouvements effectués par les personnages ? En quoi nous renseignent-ils sur leur caractère ?

3. À quel moment de la journée débute la pièce ? Pourquoi avoir choisi ce moment-là ?

STRATÉGIES : sermon et contre-sermon

4. Relevez les éléments du dialogue qui montrent que Van Buck a préparé son discours. Qu'en déduisez-vous ?

5. Notez les différents reproches adressés à Valentin. Quels défauts l'oncle tente-t-il de mettre en lumière ?

6. Quel procédé d'écriture Musset emploie-t-il pour mettre en relief les reproches de Van Buck ? Justifiez ce choix.

7. De quelle manière Valentin se justifie-t-il ? Comment se construit sa défense ?

PERSONNAGES : deux opposés ?

8. Relevez les éléments qui révèlent l'appartenance sociale de Van Buck. De quelle manière Musset les introduit-il dans ses propos ?

9. Quel portrait de Valentin peut-on esquisser à partir des remarques de Van Buck ? L'oncle et le neveu se ressemblent-ils ?

10. En quoi le mode de vie du jeune homme est-il celui d'un dandy* ?

◼ DIRE

11. Apprenez la tirade de Van Buck en mettant en relief sa colère et les nuances de ses sentiments (l. 45-64).

◼ ÉCRIRE

12. L'oncle Van Buck en a assez des excès de son neveu. Il décide de lui écrire une lettre dans laquelle il lui fait part de son mécontentement.

que je joue à la bouillotte[1] : c'est que j'y gagne quand j'ai brelan[2] ; mais soyez sûr que je n'y perds pas plus tôt que je me
105 repens de ma sottise. Ce serait, dites-vous, autre chose si je descendais d'un beau cheval, pour entrer dans un bon hôtel : je le crois bien ; vous en parlez à votre aise. Vous ajoutez que vous êtes fier, quoique vous ayez vendu du guingan ; et plût à Dieu que j'en vendisse ! ce serait la preuve que je pourrais en
110 acheter. Pour ma noblesse, elle m'est aussi chère qu'elle peut vous l'être à vous-même ; mais c'est pourquoi je ne m'attelle pas, ni plus que moi les chevaux de pur sang. Tenez, mon oncle, ou je me trompe, ou vous n'avez pas déjeuné. Vous êtes resté le cœur à jeun sur cette maudite lettre de change ;
115 avalons-la de compagnie, je vais demander le chocolat. *(Il sonne. On sert à déjeuner.)*

VAN BUCK. Quel déjeuner ! Le diable m'emporte ! tu vis comme un prince.

VALENTIN. Eh ! que voulez-vous ? Quand on meurt de
120 faim, il faut bien tâcher de se distraire. *(Ils s'attablent.)*

VAN BUCK. Je suis sûr que, parce que je me mets là, tu te figures que je te pardonne.

VALENTIN. Moi ? pas du tout. Ce qui me chagrine, lorsque vous êtes irrité, c'est qu'il vous échappe malgré vous des
125 expressions d'arrière-boutique. Oui, sans le savoir, vous vous écartez de cette fleur[3] de politesse qui vous distingue particulièrement ; mais quand ce n'est pas devant témoins, vous comprenez que je ne vais pas le dire.

VAN BUCK. C'est bon, c'est bon, il ne m'échappe rien.
130 Mais brisons là[4], et parlons d'autre chose ; tu devrais bien te marier.

VALENTIN. Seigneur, mon Dieu ! qu'est-ce que vous dites ?

---

1. **Bouillotte** : voir note 7, p. 24.
2. **Brelan** : trois cartes de même valeur (ex. : trois rois).
3. **Fleur** : élégance suprême, raffinement.
4. **Brisons là** : arrêtons cette discussion.

VAN BUCK. Donne-moi à boire. Je dis que tu prends de
135 l'âge, et que tu devrais te marier.

VALENTIN.   Mais, mon oncle, qu'est-ce que je vous ai fait ?

VAN BUCK. Tu m'as fait des lettres de change. Mais quand
tu ne m'aurais rien fait, qu'a donc le mariage de si effroyable ?
Voyons, parlons sérieusement. Tu serais, parbleu, bien à
140 plaindre, quand on te mettrait ce soir dans les bras une jolie
fille bien élevée, avec cinquante mille écus sur ta table pour
t'égayer demain matin au réveil. Voyez un peu le grand
malheur, et comme il y a de quoi faire l'ombrageux[1] ! Tu as
des dettes, je te les paierai ; une fois marié, tu te rangeras.
145 Mademoiselle de Mantes a tout ce qu'il faut…

VALENTIN.   Mademoiselle de Mantes ! Vous plaisantez ?

VAN BUCK. Puisque son nom m'est échappé, je ne plai-
sante pas. C'est d'elle qu'il s'agit, et si tu veux…

VALENTIN.   Et si elle veut. C'est comme dit la chanson :
150 Je sais bien qu'il ne tiendrait qu'à moi
De l'épouser, si elle voulait.

VAN BUCK. Non ; c'est de toi que cela dépend. Tu es
agréé, tu lui plais.

VALENTIN.   Je ne l'ai jamais vue de ma vie.

155 **VAN BUCK**. Cela ne fait rien ; je te dis que tu lui plais.

VALENTIN.   En vérité ?

VAN BUCK. Je t'en donne ma parole.

VALENTIN.   Eh bien donc ! elle me déplaît.

VAN BUCK. Pourquoi ?

160 **VALENTIN**.   Par la même raison que je lui plais.

VAN BUCK. Cela n'a pas le sens commun, de dire que les
gens nous déplaisent, quand nous ne les connaissons pas.

VALENTIN.   Comme de dire qu'ils nous plaisent. Je vous en
prie, ne parlons plus de cela.

---

1. **Ombrageux :** offusqué, susceptible.

165 **VAN BUCK.** Mais, mon ami, en y réfléchissant (donne-moi à boire), il faut faire une fin.

VALENTIN. Assurément, il faut mourir une fois dans sa vie.

VAN BUCK. J'entends qu'il faut prendre un parti[1], et se caser. Que deviendras-tu ? Je t'en avertis, un jour ou l'autre,
170 je te laisserai là malgré moi. Je n'entends pas que tu me ruines, et si tu veux être mon héritier, encore faut-il que tu puisses m'attendre. Ton mariage me coûterait, c'est vrai, mais une fois pour toutes, et moins en somme que tes folies. Enfin, j'aime mieux me débarrasser de toi ; pense à cela :
175 veux-tu une jolie femme, tes dettes payées, et vivre en repos ?

VALENTIN. Puisque vous y tenez, mon oncle, et que vous parlez sérieusement, sérieusement je vais vous répondre ; prenez du pâté, et écoutez-moi.

VAN BUCK. Voyons, quel est ton sentiment ?

180 **VALENTIN.** Sans vouloir remonter bien haut, ni vous lasser par trop de préambules, je commencerai par l'Antiquité. Est-il besoin de vous rappeler la manière dont fut traité un homme qui ne l'avait mérité en rien, qui toute sa vie fut d'humeur douce, jusqu'à reprendre, même après sa faute,
185 celle qui l'avait si outrageusement trompé[2] ? Frère d'ailleurs d'un puissant monarque[3], et couronné bien mal à propos…

VAN BUCK. De qui diantre me parles-tu ?

VALENTIN. De Ménélas[4], mon oncle.

VAN BUCK. Que le diable t'emporte et moi avec ! Je suis
190 bien sot de t'écouter.

VALENTIN. Pourquoi ? Il me semble tout simple…

---

1. **Un parti :** une épouse.
2. Il s'agit d'Hélène, enlevée par Pâris. son enlèvement déclenche la guerre de Troie.
3. Le monarque en question est Agamemnon, assassiné à son retour de Troie par sa femme Clytemnestre et son amant Égisthe. Il est vengé par son fils, Oreste.
4. **Ménélas :** roi de Sparte et époux d'Hélène. À l'issue de la guerre de Troie, Ménélas pardonne à Hélène de l'avoir trahi.

VAN BUCK. Maudit gamin ! cervelle fêlée ! Il n'y a pas moyen de te faire dire un mot qui ait le sens commun. *(Il se lève.)* Allons ! finissons ! en voilà assez. Aujourd'hui
195 la jeunesse ne respecte rien.

VALENTIN. Mon oncle Van Buck, vous allez vous mettre en colère.

VAN BUCK. Non, monsieur ; mais, en vérité, c'est une chose inconcevable. Imagine-t-on qu'un homme de mon
200 âge serve de jouet à un bambin ? Me prends-tu pour ton camarade, et faudra-t-il te répéter…

VALENTIN. Comment ! mon oncle, est-il possible que vous n'ayez jamais lu Homère[1] ?

VAN BUCK, *se rasseyant.* Eh bien ! quand je l'aurais lu ?

205 **VALENTIN.** Vous me parlez de mariage ; il est tout simple que je vous cite le plus grand mari de l'Antiquité.

VAN BUCK. Je me soucie bien de tes proverbes. Veux-tu répondre sérieusement ?

VALENTIN. Soit ; trinquons à cœur ouvert ; je ne serai
210 compris de vous que si vous voulez bien ne pas m'interrompre. Je ne vous ai pas cité Ménélas pour faire parade de ma science, mais pour ne pas nommer beaucoup d'honnêtes gens ; faut-il m'expliquer sans réserve ?

VAN BUCK. Oui, sur-le-champ, ou je m'en vais.

215 **VALENTIN.** J'avais seize ans, et je sortais du collège, quand une belle dame de notre connaissance me distingua pour la première fois. À cet âge-là, peut-on savoir ce qui est innocent ou criminel ? J'étais un soir chez ma maîtresse, au coin du feu, son mari en tiers. Le mari se lève et dit qu'il va sortir. À ce mot,
220 un regard rapide, échangé entre ma belle et moi, me fait bondir le cœur de joie. Nous allions être seuls ! Je me retourne, et vois le pauvre homme mettant ses gants. Ils étaient

---

1. Homère : poète grec (IXᵉ siècle av. J.-C.) auteur de l'*Iliade* et de l'*Odyssée*. Valentin a reçu une bonne éducation ; il connaît ses « humanités », c'est-à-dire la culture antique.

31

en daim de couleur verdâtre, trop larges, et décousus au pouce.
Tandis qu'il y enfonçait ses mains, debout au milieu de la
225 chambre, un imperceptible sourire passa sur le coin des lèvres
de la femme, et dessina comme une ombre légère les deux
fossettes de ses joues. L'œil d'un amant voit seul de tels
sourires, car on les sent plus qu'on ne les voit. Celui-ci m'alla
jusqu'à l'âme, et je l'avalai comme un sorbet. Mais, par une
230 bizarrerie étrange, le souvenir de ce moment de délices se lia
invinciblement dans ma tête à celui de deux grosses mains
rouges se débattant dans des gants verdâtres ; et je ne sais ce
que ces mains, dans leur opération confiante, avaient de triste
et de piteux, mais je n'y ai jamais pensé depuis sans que le fémi-
235 nin sourire ne vînt me chatouiller le coin des lèvres, et j'ai juré
que jamais femme au monde ne me ganterait de ces gants-là.

VAN BUCK. C'est-à-dire qu'en franc libertin[1], tu doutes de
la vertu des femmes, et que tu as peur que les autres ne te
rendent le mal que tu leur as fait.

240 **VALENTIN.** Vous l'avez dit ; j'ai peur du diable, et je ne
veux pas être ganté.

VAN BUCK. Bah ! c'est une idée de jeune homme.

VALENTIN. Comme il vous plaira, c'est la mienne ; dans
une trentaine d'années, si j'y suis, ce sera une idée de
245 vieillard, car je ne me marierai jamais.

VAN BUCK. Prétends-tu que toutes les femmes soient
fausses, et que tous les maris soient trompés ?

VALENTIN. Je ne prétends rien, et je n'en sais rien. Je
prétends, quand je vais dans la rue, ne pas me jeter sous les
250 roues des voitures ; quand je dîne, ne pas manger de merlan ;
quand j'ai soif, ne pas boire dans un verre cassé, et, quand je
vois une femme, ne pas l'épouser ; et encore je ne suis pas sûr
de n'être ni écrasé, ni étranglé, ni brèche-dent, ni…

VAN BUCK. Fi donc ! mademoiselle de Mantes est sage et
255 bien élevée ; c'est une bonne petite fille.

---

1. **Libertin** : personne qui s'adonne aux plaisirs sans se soucier de la morale.

SITUER

Après avoir vertement sermonné Valentin, Van Buck révèle le véritable objet de sa visite : un mariage qu'il a arrangé pour son neveu.

RÉFLÉCHIR

SOCIÉTÉ : le mariage

1. Quel élément nouveau Musset intègre-t-il au jeu des personnages ? Quel sens introduit dans le dialogue le partage du repas ?

2. Dans quelle mesure le mariage relève-t-il d'une convenance sociale ? Quels sont les arguments de Van Buck sur ce sujet ?

3. Quel est l'enjeu principal de la comédie traditionnelle ? Musset sacrifie-t-il ici à une règle du genre ou la subvertit-il ?

STRATÉGIES : désinvolture et justifications

4. Les menaces proférées par Van Buck contre Valentin sont-elles crédibles ? Pourquoi ?

5. Quel ton adopte Valentin à l'égard de son oncle ?

6. En quoi l'allusion à Ménélas nous renseigne-t-elle sur l'éducation de Valentin ?

7. Analysez la tirade de Valentin. Quels sont ses arguments contre le mariage ?

8. Confrontez les arguments sérieux de Van Buck à ceux de Valentin. Quel est l'effet produit sur le lecteur ?

REGISTRES ET TONALITÉS : un dialogue spirituel

9. Expliquez l'effet comique de la réplique de Van Buck : « Je me soucie bien de tes proverbes » (l. 207).

10. Quels sont les traits d'esprit particulièrement drôles dans les propos de Valentin ? Sur quels procédés d'écriture Musset fonde-t-il ce comique ? Justifiez vos choix.

11. Dans quelle mesure la narration de son expérience est-elle plus sérieuse dans la bouche de Valentin ?

12. Expliquez la métaphore* des gants. Que signifie-t-elle ?

VALENTIN. À Dieu ne plaise que j'en dise du mal ! Elle est sans doute la meilleure du monde. Elle est bien élevée, dites-vous ? Quelle éducation a-t-elle reçue ? La conduit-on au bal, au spectacle, aux courses de chevaux ? Sort-elle seule en
260 fiacre, le matin, à midi, pour revenir à six heures ? A-t-elle une femme de chambre adroite, un escalier dérobé[1] ? A-t-elle vu *La Tour de Nesle*[2], et lit-elle les romans de M. de Balzac[3] ? La mène-t-on, après un bon dîner, les soirs d'été, quand le vent est au sud, voir lutter aux Champs-Élysées[4] dix ou
265 douze gaillards nus, aux épaules carrées ? A-t-elle pour maître un beau valseur, grave et frisé, au jarret prussien, qui lui serre les doigts quand elle a bu du punch[5] ? Reçoit-elle des visites en tête à tête, l'après-midi, sur un sofa[6] élastique, sous le demi-jour d'un rideau rose ? A-t-elle à sa porte un verrou
270 doré, qu'on pousse du petit doigt en tournant la tête, et sur lequel retombe mollement une tapisserie sourde et muette ? Met-elle son gant dans son verre lorsqu'on commence à passer le champagne[7] ? Fait-elle semblant d'aller au bal de l'Opéra, pour s'éclipser un quart d'heure, courir chez
275 Musard[8], et revenir bâiller ? Lui a-t-on appris, quand Rubini[9] chante, à ne montrer que le blanc de ses yeux, comme une colombe amoureuse ? Passe-t-elle l'été à la campagne chez

---

1. **Escalier dérobé** : lieu commun du roman noir*, du mélodrame et du théâtre romantique ; il permet de s'échapper sans être surpris.
2. *La Tour de Nesle* : drame d'Alexandre Dumas père (1802-1870), créé en 1832. Cette pièce particulièrement sanglante connut un vif succès.
3. **Honoré de Balzac** : Balzac (1799-1850) publie ses premiers romans en 1829. En 1830, on lui doit le célèbre récit fantastique *La Peau de chagrin*.
4. **Champs-Élysées** : lieu de promenade publique aménagé en 1828. Les Champs-Élysées constituent un lieu d'attraction pittoresque au début de la monarchie de Juillet.
5. **Punch** : boisson composée d'eau-de-vie, aromatisée de citron et d'épices. Cette boisson est très prisée sous la monarchie de Juillet, et Musset l'appréciait particulièrement.
6. **Sofa** : petit canapé.
7. **Champagne** : les femmes de la bonne société mettaient ainsi leur gant dans leur verre pour refuser poliment de boire.
8. **Musard** : musicien et chef d'orchestre (1793-1859).
9. **Rubini** : ténor italien (1794-1854) qui triompha à Paris, Londres, Saint-Pétersbourg, etc., de 1825 à sa mort.

une amie pleine d'expérience, qui en répond à sa famille, et
qui, le soir, la laisse au piano, pour se promener sous les char-
280   milles[1], en chuchotant avec un hussard[2] ? Va-t-elle aux
eaux[3] ? A-t-elle des migraines[4] ?

VAN BUCK.   Jour de Dieu ! qu'est-ce que tu dis là !

VALENTIN.   C'est que si elle ne sait rien de tout cela, on ne
lui a pas appris grand-chose ; car, dès qu'elle sera femme, elle
285   le saura, et alors qui peut rien prévoir ?

VAN BUCK.   Tu as de singulières idées sur l'éducation des
femmes. Voudrais-tu pas qu'on les suivît ?

VALENTIN.   Non ; mais je voudrais qu'une jeune fille fût
une herbe dans un bois, et non une plante dans une caisse.
290   Allons, mon oncle, venez aux Tuileries[5], et ne parlons plus
de tout cela.

VAN BUCK.   Tu refuses mademoiselle de Mantes ?

VALENTIN.   Pas plus qu'une autre, mais ni plus ni moins.

VAN BUCK.   Tu me feras damner ; tu es incorrigible. J'avais
295   les plus belles espérances ; cette fille-là sera très riche un
jour ; tu me ruineras, et tu iras au diable ; voilà tout ce qui
arrivera. Qu'est-ce que c'est ? Qu'est-ce que tu veux ?

VALENTIN.   Vous donner votre canne et votre chapeau,
pour prendre l'air, si cela vous convient.

300   **VAN BUCK.**   Je me soucie bien de prendre l'air ! Je te déshé-
rite, si tu refuses de te marier.

VALENTIN.   Vous me déshéritez, mon oncle ?

---

1. **Charmilles :** lieu de verdure, ombragé par des charmes.
2. **Hussard :** soldat appartenant à la cavalerie. Les hussards sont réputés
pour leur manque de délicatesse et le caractère viril de leurs manières.
3. **Eaux :** ville thermale où l'on prend du repos. Les villégiatures thermales
se développent sous la monarchie de Juillet.
4. **Migraines :** maux de tête. Au XIXᵉ siècle, la migraine est un mal féminin
très à la mode.
5. **Tuileries :** l'un des plus grands jardins de Paris. Lieu de promenade
depuis le XVIᵉ siècle, les Tuileries abritent aujourd'hui le musée de
l'Orangerie et la galerie nationale du Jeu de paume.

VAN BUCK. Oui, par le ciel ! j'en fais le serment ! Je serai aussi obstiné que toi, et nous verrons qui des deux cédera.

305 **VALENTIN.** Vous me déshéritez par écrit, ou seulement de vive voix ?

VAN BUCK. Par écrit, insolent que tu es !

VALENTIN. Et à qui laisserez-vous votre bien ? Vous fonderez donc un prix de vertu, ou un concours de grammaire 310 latine ?

VAN BUCK. Plutôt que de me laisser ruiner par toi, je me ruinerai tout seul et à mon plaisir.

VALENTIN. Il n'y a plus de loterie[1] ni de jeu ; vous ne pourrez jamais tout boire.

315 **VAN BUCK.** Je quitterai Paris ; je retournerai à Anvers[2] ; je me marierai moi-même, s'il le faut, et je te ferai six cousins germains.

VALENTIN. Et moi je m'en irai à Alger[3] ; et je me ferai trompette de dragons, j'épouserai une Éthiopienne, et je 320 vous ferai vingt-quatre petits-neveux, noirs comme de l'encre, et bêtes comme des pots.

VAN BUCK. Jour de ma vie ! si je prends ma canne…

VALENTIN. Tout beau, mon oncle ! prenez garde, en frappant, de casser votre bâton de vieillesse.

325 **VAN BUCK,** *l'embrassant.* Ah ! malheureux ! tu abuses de moi.

VALENTIN. Écoutez-moi ; le mariage me répugne ; mais pour vous, mon bon oncle, je me déciderai à tout. Quelque bizarre que puisse vous sembler ce que je vais vous proposer,

---

1. **Loterie :** créée en 1660 et abolie par un arrêté du 21 mai 1836. L'abolition de la loterie s'inscrit dans le cadre du durcissement des lois après l'attentat de Guiseppe Fieschi contre le roi Louis-Philippe en septembre 1835.
2. **Anvers :** ville portuaire de Belgique, où fleurit le commerce des étoffes, notamment en provenance des Indes.
3. **Alger :** l'Algérie est une question d'actualité au début de la monarchie de Juillet. Alger est prise et occupée par les Français en 1830.

330 promettez-moi d'y souscrire sans réserve, et, de mon côté, j'engage ma parole.

VAN BUCK. De quoi s'agit-il ? dépêche-toi.

VALENTIN. Promettez d'abord, je parlerai ensuite.

VAN BUCK. Je ne le puis pas sans rien savoir.

335 **VALENTIN.** Il le faut, mon oncle ; c'est indispensable.

VAN BUCK. Eh bien ! soit, je te le promets.

VALENTIN. Si vous voulez que j'épouse mademoiselle de Mantes, il n'y a pour cela qu'un moyen, c'est de me donner la certitude qu'elle ne me mettra jamais aux mains la paire de
340 gants dont nous parlions.

VAN BUCK. Et que veux-tu que j'en sache ?

VALENTIN. Il y a pour cela des probabilités qu'on peut calculer aisément. Convenez-vous que si j'avais l'assurance qu'on peut la séduire en huit jours, j'aurais grand tort de
345 l'épouser ?

VAN BUCK. Certainement. Quelle apparence ?

VALENTIN. Je ne vous demande pas un plus long délai. La baronne ne m'a jamais vu, non plus que la fille ; vous allez faire atteler, et vous irez leur faire visite. Vous leur direz qu'à
350 votre grand regret, votre neveu reste garçon ; j'arriverai au château une heure après vous, et vous aurez soin de ne pas me reconnaître ; voilà tout ce que je vous demande, le reste ne regarde que moi.

VAN BUCK. Mais tu m'effraies. Qu'est-ce que tu veux
355 faire ? À quel titre te présenter ?

VALENTIN. C'est mon affaire ; ne me reconnaissez pas, voilà tout ce dont je vous charge. Je passerai huit jours au château ; j'ai besoin d'air, et cela me fera du bien. Vous y resterez si vous voulez.

360 **VAN BUCK.** Deviens-tu fou ? et que prétends-tu faire ? Séduire une jeune fille en huit jours ? Faire le galant sous un nom supposé ? La belle trouvaille ! Il n'y a pas de conte de

fées où ces niaiseries ne soient rebattues. Me prends-tu pour un oncle du Gymnase[1] ?

365 **VALENTIN**. Il est deux heures, allons-nous-en chez vous.

(Ils sortent.)

---

1. Gymnase : le théâtre du Gymnase, construit en 1820, accueille sur ses planches des vaudevilles*. L'allusion de Van Buck désigne les « oncles à héritage » que l'on rencontre dans de nombreux vaudevilles et qui sont souvent des balourds dupés.

■ SITUER

Valentin s'oppose au projet de son oncle. Il développe les raisons de son refus et propose à Van Buck une gageure étonnante.

■ RÉFLÉCHIR

SOCIÉTÉ : un programme d'éducation

1. Que pensez-vous du portrait que Valentin dresse de la jeune fille moderne ? Qu'attend-il d'une jeune femme ?

2. Classez les différents éléments de cette éducation selon les critères de votre choix.

3. Recherchez quelle est l'intrigue de *La Tour de Nesle* d'Alexandre Dumas. Qu'en déduisez-vous sur les goûts de Valentin ?

MISE EN SCÈNE : le sens des détails

4. Relevez quelques expressions clés qui pourraient permettre aux comédiens de comprendre et d'incarner les personnages de Van Buck et de Valentin. Justifiez vos choix.

5. Jusqu'à quel point les comédiens interprétant ces deux personnages pourraient-ils les caricaturer ? De quelle manière ?

6. Dans quelle mesure la mise en scène du repas requiert-elle un soin tout particulier ? Quelles répliques le justifient ?

STRATÉGIES : « la règle du jeu » ou la gageure de Valentin

7. Expliquez la comparaison* : « Je voudrais qu'une fille soit une herbe dans un bois, et non une plante dans une caisse » (l. 288-289). Que signifie-t-elle ?

8. Analysez le stratagème de Valentin. Est-il étonnant de la part du jeune homme ?

9. De quelle manière Musset met-il en valeur la complicité de l'oncle et du neveu ? Justifiez votre réponse.

10. Que signifie l'expression formulée par Van Buck : « Me prends-tu pour un oncle du Gymnase ? » (l. 363-364). Quelle idée l'oncle se fait-il du plan de Valentin ?

Scène 2

Au château.

La baronne, Cécile,
Un abbé, Un maître de danse.

*La baronne, assise, cause avec l'abbé
en faisant de la tapisserie. Cécile prend sa leçon de danse.*

La baronne. C'est une chose assez singulière que je ne trouve pas mon peloton bleu.

L'abbé. Vous le teniez il y a un quart d'heure ; il aura roulé quelque part.

5 **Le maître de danse.** Si mademoiselle veut faire encore la poule[1], nous nous reposerons après cela.

Cécile. Je veux apprendre la valse à deux temps[2].

Le maître de danse. Madame la baronne s'y oppose. Ayez la bonté de tourner la tête, et de me faire des oppo-
10 sitions[3].

L'abbé. Que pensez-vous, madame, du dernier sermon ? Ne l'avez-vous pas entendu ?

La baronne. C'est vert et rose, sur fond noir, pareil au petit meuble d'en haut.

15 **L'abbé.** Plaît-il ?

La baronne. Ah ! pardon, je n'y étais pas.

L'abbé. J'ai cru vous y apercevoir.

La baronne. Où donc ?

L'abbé. À Saint-Roch[4], dimanche dernier.

---

1. **Poule :** figure de danse tirée du quadrille, en vogue avant 1789.
2. **Valse à deux temps :** danse introduite en France après la Révolution. Pour l'aristocratie de la monarchie de Juillet, la valse est encore une danse d'avant-garde peu convenable.
3. **Opposition :** posture de danse qui consiste à tourner la tête du côté opposé au mouvement.
4. **Saint-Roch :** paroisse située rue Saint-Honoré à Paris et fréquentée par l'aristocratie.

20 **LA BARONNE**. Mais oui, très bien. Tout le monde pleurait ; le baron ne faisait que se moucher. Je m'en suis allée à la moitié, parce que ma voisine avait des odeurs, et que je suis dans ce moment-ci entre les bras des homéopathes[1].

LE MAÎTRE DE DANSE. Mademoiselle, j'ai beau vous le
25 dire, vous ne faites pas d'oppositions. Détournez donc légèrement la tête, et arrondissez-moi les bras.

CÉCILE. Mais, monsieur, quand on veut ne pas tomber, il faut bien regarder devant soi.

LE MAÎTRE DE DANSE. Fi donc ! c'est une chose horrible.
30 Tenez, voyez ; y a-t-il rien de plus simple ? Regardez-moi ; est-ce que je tombe ? Vous allez à droite, vous regardez à gauche ; vous allez à gauche, vous regardez à droite ; il n'y a rien de plus naturel.

LA BARONNE. C'est une chose inconcevable que je ne
35 trouve pas mon peloton bleu.

CÉCILE. Maman, pourquoi ne voulez-vous donc pas que j'apprenne la valse à deux temps ?

LA BARONNE. Parce que c'est indécent. Avez-vous lu *Jocelyn*[2] ?

40 **L'ABBÉ**. Oui, madame, il y a de beaux vers ; mais le fond, je vous l'avouerai...

LA BARONNE. Le fond est noir ; tout le petit meuble l'est ; vous verrez cela sur du palissandre[3].

CÉCILE. Mais, maman, miss Clary valse bien, et mesdemoi-
45 selles de Raimbaut aussi.

LA BARONNE. Miss Clary est anglaise, mademoiselle. Je suis sûre, l'abbé, que vous êtes assis dessus.

L'ABBÉ. Moi, madame ! sur miss Clary !

---

1. **Homéopathe** : l'homéopathie, découverte du médecin allemand Samuel Hahnemann, est introduite en France au début de la monarchie de Juillet.
2. *Jocelyn* : long poème épique d'Alphonse de Lamartine (1790-1869) paru en mars 1836, quelques mois avant *Il ne faut jurer de rien*.
3. **Palissandre** : bois exotique de teinte violacée, veiné de noir et de jaune.

41

LA BARONNE. Eh ! c'est mon peloton, le voilà. Non, c'est
50 du rouge ; où est-il passé ?

L'ABBÉ. Je trouve la scène de l'évêque fort belle ; il y a
certainement du génie, beaucoup de talent, et de la facilité.

CÉCILE. Mais, maman, de ce qu'on est anglaise, pourquoi
est-ce décent de valser ?

55 **LA BARONNE.** Il y a aussi un roman que j'ai lu, qu'on m'a
envoyé de chez Mongie[1]. Je ne sais plus le nom, ni de qui
c'était. L'avez-vous lu ? C'est assez bien écrit.

L'ABBÉ. Oui, madame. Il semble qu'on ouvre la grille.
Attendez-vous quelque visite ?

60 **LA BARONNE.** Ah ! c'est vrai ; Cécile, écoutez.

LE MAÎTRE DE DANSE. Madame la baronne veut vous
parler, mademoiselle.

L'ABBÉ. Je ne vois pas entrer de voiture ; ce sont des
chevaux qui vont sortir.

65 **CÉCILE,** *s'approchant.* Vous m'avez appelée, maman ?

LA BARONNE. Non. Ah ! oui. Il va venir quelqu'un ;
baissez-vous donc que je vous parle à l'oreille. C'est un
parti. Êtes-vous coiffée ?

CÉCILE. Un parti ?

70 **LA BARONNE.** Oui, très convenable. – Vingt-cinq à trente
ans, ou plus jeune ; non, je n'en sais rien ; très bien ; allez
danser.

CÉCILE. Mais, maman, je voulais vous dire...

LA BARONNE. C'est incroyable où est allé ce peloton. Je n'en
75 ai qu'un de bleu, et il faut qu'il s'envole. *(Entre Van Buck.)*

VAN BUCK. Madame la baronne, je vous souhaite le
bonjour. Mon neveu n'a pu venir avec moi ; il m'a chargé de
vous présenter ses regrets, et d'excuser son manque de parole.

---

1. **Mongie :** libraire et éditeur très actif sous la Restauration et la monarchie
de Juillet.

SITUER

Changement de décor : Musset transporte son lecteur dans le salon de la baronne de Mantes.

RÉFLÉCHIR

DRAMATURGIE : au château !

1. Comment peut-on expliquer le changement de lieu de la scène 1 à la scène 2 ? Que pouvez-vous en déduire ?

2. Combien de temps s'est déroulé entre les deux scènes ?

3. Quels éléments de la dramaturgie* assurent la continuité entre les deux scènes ?

4. Combien de coups de théâtre* ponctuent la scène ? Quel est l'effet produit ?

SOCIÉTÉ : souvenirs d'Ancien Régime

5. À quelles activités se livrent les personnages ? Comment peut-on qualifier ces occupations ?

6. Cécile est-elle heureuse de « faire la poule » ? Que souhaite-t-elle ? Que signifie ce désir ?

7. Relevez les éléments satiriques* esquissés par Musset. Qu'en déduisez-vous sur la peinture des mœurs réalisée dans cette scène ? Quel tableau de l'autorité propose Musset ?

REGISTRES ET TONALITÉS : le comique en action

8. Quels ressorts du comique Musset utilise-t-il dans cette scène ?

9. Analysez les dialogues entre la baronne et l'abbé. Sur quel procédé systématique repose le comique de leurs échanges ?

10. Pourquoi la baronne donne-t-elle le ton de la scène ? Quel rôle l'abbé tient-il auprès d'elle ?

ÉCRIRE

11. Bien longtemps après, Cécile se souvient du jour où elle a rencontré Valentin et des habitudes de vie qu'elle avait au château. Dans un passage de son autobiographie, elle raconte cet épisode de sa vie.

LA BARONNE. Ah, bah ! vraiment ? il ne vient pas ? Voilà ma
80 fille qui prend sa leçon ; permettez-vous qu'elle continue ? Je
l'ai fait descendre, parce que c'est trop petit chez elle.

VAN BUCK. J'espère bien ne déranger personne. Si mon
écervelé de neveu...

LA BARONNE. Vous ne voulez pas boire quelque chose ?
85 Asseyez-vous donc. Comment allez-vous ?

VAN BUCK. Mon neveu, madame, est bien fâché...

LA BARONNE. Écoutez donc que je vous dise. L'abbé, vous
nous restez, pas vrai ? Eh bien ! Cécile, qu'est-ce qui t'arrive ?

LE MAÎTRE DE DANSE. Mademoiselle est lasse, madame.

90 **LA BARONNE.** Chansons ! si elle était au bal, et qu'il fût
quatre heures du matin, elle ne serait pas lasse, c'est clair
comme le jour. Dites-moi donc, vous : *(bas à Van Buck)*
est-ce que c'est manqué ?

VAN BUCK. J'en ai peur ; et s'il faut tout dire...

95 **LA BARONNE.** Ah, bah ! il refuse ? Eh bien ! c'est joli.

VAN BUCK. Mon Dieu, madame, n'allez pas croire qu'il y
ait là de ma faute en rien. Je vous jure bien par l'âme de mon
père...

LA BARONNE. Enfin il refuse, pas vrai ? C'est manqué ?

100 **VAN BUCK.** Mais, madame, si je pouvais, sans mentir...

LA BARONNE. *(On entend un grand tumulte au
dehors.)* Qu'est-ce que c'est ? regardez donc, l'abbé.

L'ABBÉ. Madame, c'est une voiture versée devant la porte
du château. On apporte ici un jeune homme qui semble
105 privé de sentiment.

LA BARONNE. Ah ! mon Dieu, un mort qui m'arrive !
Qu'on arrange vite la chambre verte. Venez, Van Buck,
donnez-moi le bras. *(Ils sortent.)*

DRAMATURGIE : l'exposition éclatée

La dramaturgie* d'*Il ne faut jurer de rien* se caractérise par un éclatement de l'exposition* au cours de tout l'acte I. La construction dissymétrique de cette première séquence est originale ; le tempo dramatique est également tout à fait inattendu.

1. Quel effet la dissymétrie entre la scène 1 et la scène 2 crée-t-elle ?

2. De quelle manière Musset précipite-t-il l'action à la fin de chaque scène ?

3. Pensez-vous que l'exposition s'effectue dans la première scène ou dans l'ensemble de l'acte ? Justifiez votre réponse.

4. Quel principe commande les changements de scène ?

5. Dans quelle mesure peut-on parler d'une esthétique du tableau* pour la scène 2 ?

PERSONNAGES : parents et enfants

L'acte I fait intervenir tous les personnages du proverbe*. Musset esquisse le portrait de chacun.

6. De quelle manière Musset met-il en lumière les liens familiaux qui unissent les personnages ?

7. Comment se manifeste l'autorité de Van Buck ? de la baronne ? Leur autorité se ressemble-t-elle ?

8. Ces deux personnages correspondent-ils à des types de comédie ?

9. Valentin et Cécile ne semblent pas avoir reçu la même éducation. Qu'est-ce qui les différencie ? Qu'est-ce qui les rapproche ?

STYLE : conversations et situations

L'acte I est dominé par les conversations entre les personnages, notamment la scène 1 qui constitue une longue explication entre Van Buck et Valentin.

10. Van Buck et la baronne n'ont pas les mêmes préoccupations. Montrez de quelle manière cette différence se manifeste dans leur langage.

11. Comparez le rythme de la conversation dans la scène 1 et dans la scène 2. Qu'en concluez-vous ?

ACTE II
SCÈNE PREMIÈRE
Une allée sous une charmille.
Entrent VAN BUCK *et* VALENTIN,
qui a le bras en écharpe.

VAN BUCK. Est-il possible, malheureux garçon, que tu te sois réellement démis le bras ?

VALENTIN. Il n'y a rien de plus possible ; c'est même probable, et, qui pis est, assez douloureusement réel.

5 VAN BUCK. Je ne sais lequel, dans cette affaire, est le plus à blâmer de nous deux. Vit-on jamais pareille extravagance !

VALENTIN. Il fallait bien trouver un prétexte pour m'introduire convenablement. Quelle raison voulez-vous
10 qu'on ait de se présenter ainsi incognito à une famille respectable ? J'avais donné un louis à mon postillon[1] en lui demandant sa parole de me verser devant le château. C'est un honnête homme, il n'y a rien à lui dire, et son argent est parfaitement gagné ; il a mis sa roue dans le
15 fossé avec une constance héroïque. Je me suis démis le bras, c'est ma faute ; mais j'ai versé, et je ne me plains pas. Au contraire, j'en suis bien aise ; cela donne aux choses un air de vérité qui intéresse en ma faveur.

VAN BUCK. Que vas-tu faire ? et quel est ton dessein ?

20 VALENTIN. Je ne viens pas du tout ici pour épouser mademoiselle de Mantes, mais uniquement pour vous prouver que j'aurais tort de l'épouser. Mon plan est fait, ma batterie pointée[2] ; et, jusqu'ici, tout va à merveille. Vous avez tenu votre promesse comme Regulus[3] ou

---

1. **Postillon** : cocher.
2. **Batterie pointée** : métaphore militaire. On pointe les canons en direction de l'ennemi.
3. **Regulus** : héros de l'histoire romaine, (IIIe siècle av. J.-C.), il fut chargé de négocier avec les Carthaginois. Refusant leurs conditions, il mourut en brave.

25 Hernani[1]. Vous ne m'avez pas appelé mon neveu, c'est le principal et le plus difficile ; me voilà reçu, hébergé, couché dans une belle chambre verte, de la fleur d'orange sur ma table, et des rideaux blancs à mon lit. C'est une justice à rendre à votre baronne, elle m'a aussi bien
30 recueilli que mon postillon m'a versé. Maintenant, il s'agit de savoir si tout le reste ira à l'avenant. Je compte d'abord faire ma déclaration, secondement écrire un billet…

VAN BUCK. C'est inutile, je ne souffrirai pas que cette mauvaise plaisanterie s'achève.

35 VALENTIN. Vous dédire ! Comme vous voudrez ; je me dédis aussi sur-le-champ.

VAN BUCK. Mais, mon neveu…

VALENTIN. Dites un mot, je reprends la poste[2] et retourne à Paris ; plus de parole, plus de mariage ; vous
40 me déshériterez si vous voulez.

VAN BUCK. C'est un guêpier incompréhensible, et il est inouï que je sois fourré là. Mais enfin, voyons, explique-toi !

VALENTIN. Songez, mon oncle, à notre traité. Vous m'avez dit et accordé que, s'il était prouvé que ma future
45 devait me ganter de certains gants, je serais un fou d'en faire ma femme. Par conséquent, l'épreuve étant admise, vous trouverez bon, juste et convenable qu'elle soit aussi complète que possible. Ce que je dirai, sera bien dit ; ce que j'essaierai, bien essayé, et ce que je pourrai faire, bien
50 fait ; vous ne me chercherez pas chicane, et j'ai carte blanche en tous cas.

VAN BUCK. Mais, monsieur, il y a pourtant de certaines bornes, de certaines choses… – Je vous prie de remarquer que, si vous allez vous prévaloir… – Miséricorde ! comme tu y vas !

---

1. **Hernani** : héros éponyme du drame de Victor Hugo, qui fit scandale en 1830. Hernani a promis à don Ruy Gomez qu'au son du cor, il se livrerait à lui. Au beau milieu de sa nuit de noces, le cor retentit et Hernani, fidèle à sa parole, se suicide, suivi par doña Sol puis par don Ruy Gomez.
2. **Poste** : relais de chevaux.

55 **VALENTIN.** Si notre future est telle que vous la croyez et que vous me l'avez représentée, il n'y a pas le moindre danger, et elle ne peut que s'en trouver plus digne. Figurez-vous que je suis le premier venu ; je suis amoureux de mademoiselle de Mantes, vertueuse épouse de
60 Valentin Van Buck ; songez comme la jeunesse du jour est entreprenante et hardie ! que ne fait-on pas, d'ailleurs, quand on aime ? Quelles escalades, quelles lettres de quatre pages, quels torrents de larmes, quels cornets de dragées ! Devant quoi recule un amant ? De
65 quoi peut-on lui demander compte ? Quel mal fait-il, et de quoi s'offenser ? Il aime, ô mon oncle Van Buck ! rappelez-vous le temps où vous aimiez.

VAN BUCK. De tout temps j'ai été décent, et j'espère que vous le serez, sinon je dis tout à la baronne.

70 **VALENTIN.** Je ne compte rien faire qui puisse choquer personne. Je compte d'abord faire ma déclaration ; secondement, écrire plusieurs billets ; troisièmement, gagner la fille de chambre ; quatrièmement, rôder dans les petits coins ; cinquièmement, prendre l'empreinte des serrures
75 avec de la cire à cacheter ; sixièmement, faire une échelle de cordes, et couper les vitres avec ma bague ; septièmement, me mettre à genou par terre en récitant *La Nouvelle Héloïse*[1] ; et huitièmement, si je ne réussis pas, m'aller noyer dans la pièce d'eau ; mais je vous jure d'être décent,
80 et de ne pas dire un seul gros mot, ni rien qui blesse les convenances.

VAN BUCK. Tu es un roué[2] et un impudent ; je ne souffrirai rien de pareil.

VALENTIN. Mais pensez donc que tout ce que je vous dis
85 là, dans quatre ans d'ici un autre le fera, si j'épouse mademoiselle de Mantes ; et comment voulez-vous que je sache

---

1. *La Nouvelle Héloïse* : roman épistolaire de Jean-Jacques Rousseau paru en 1761, qui narre les aventures de Julie et de Saint-Preux.

2. **Roué** : jeune homme dévergondé et malicieux, peu soucieux du caractère moral de ses actes.

de quelle résistance elle est capable, si je ne l'ai d'abord essayé moi-même ? Un autre tentera bien plus encore, et aura devant lui un bien autre délai ; en ne demandant que
90 huit jours, j'ai fait un acte de grande humilité[1].

VAN BUCK. C'est un piège que tu m'as tendu ; jamais je n'ai prévu cela.

VALENTIN. Et que pensiez-vous donc prévoir, quand vous avez accepté la gageure[2] ?

95 **VAN BUCK.** Mais, mon ami, je pensais, je croyais – je croyais que tu allais faire ta cour... mais poliment... à cette jeune personne, comme par exemple, de lui... de lui dire... Ou si par hasard... et encore je n'en sais rien... Mais que diable ! tu es effrayant.

100 **VALENTIN.** Tenez ! voilà la blanche Cécile qui nous arrive à petits pas. Entendez-vous craquer le bois sec ? La mère tapisse avec son abbé. Vite, fourrez-vous dans la charmille. Vous serez témoin de la première escarmouche[3], et vous m'en direz votre avis.

105 **VAN BUCK.** Tu l'épouseras si elle te reçoit mal ? *(Il se cache dans la charmille.)*

VALENTIN. Laissez-moi faire, et ne bougez pas. Je suis ravi de vous avoir pour spectateur, et l'ennemi détourne l'allée. Puisque vous m'avez appelé fou, je veux vous
110 montrer qu'en fait d'extravagances, les plus fortes sont les meilleures. Vous allez voir, avec un peu d'adresse, ce que rapportent les blessures honorables reçues pour plaire à la beauté. Considérez cette démarche pensive, et faites-moi la grâce de me dire si ce bras estropié ne me sied pas. Eh !
115 que voulez-vous ? c'est qu'on est pâle ; il n'y a au monde que cela :
Un jeune malade à pas lents...

---

1. **Humilité :** modestie.
2. **Gageure :** pari.
3. **Escarmouche :** nouvelle métaphore militaire. Petit combat, lutte brève ; par extension, échange de paroles assez vif.

Surtout, pas de bruit ; voici l'instant critique ; respectez la foi des serments. Je vais m'asseoir au pied d'un arbre,
120 comme un pasteur[1] des temps passés. *(Entre Cécile, un livre à la main.)*

VALENTIN. Déjà levée, mademoiselle, et seule à cette heure dans le bois ?

CÉCILE. C'est vous, monsieur ? je ne vous reconnaissais
125 pas. Comment se porte votre foulure ?

VALENTIN, *à part.* Foulure ! voilà un vilain mot. *(Haut.)* C'est trop de grâce que vous me faites, et il y a de certaines blessures qu'on ne sent jamais qu'à demi.

CÉCILE. Vous a-t-on servi à déjeuner ?

130 **VALENTIN.** Vous êtes trop bonne ; de toutes les vertus de votre sexe, l'hospitalité est la moins commune, et on ne la trouve nulle part aussi douce, aussi précieuse que chez vous ; et si l'intérêt qu'on m'y témoigne…

CÉCILE. Je vais dire qu'on vous monte un bouillon. *(Elle*
135 *sort.)*

VAN BUCK, *rentrant.* Tu l'épouseras ! tu l'épouseras ! Avoue qu'elle a été parfaite. Quelle naïveté ! quelle pudeur divine ! On ne peut pas faire un meilleur choix.

VALENTIN. Un moment, mon oncle, un moment ; vous
140 allez bien vite en besogne.

VAN BUCK. Pourquoi pas ? il n'en faut pas plus ; tu vois clairement à qui tu as affaire, et ce sera toujours de même. Que tu seras heureux avec cette femme-là ! Allons tout dire à la baronne ; je me charge de l'apaiser.

145 **VALENTIN.** Bouillon ! Comment une jeune fille peut-elle prononcer ce mot-là ? Elle me déplaît ; elle est laide et sotte. Adieu, mon oncle, je retourne à Paris.

VAN BUCK. Plaisantez-vous ? où est votre parole ? Est-ce ainsi qu'on se joue de moi ? Que signifient ces yeux baissés,

---

1. **Pasteur :** berger.

50

■ SITUER

Le stratagème de Valentin a réussi : il est entré incognito au château en se faisant passer pour un accidenté. Dans la première scène de l'acte II, l'oncle et le neveu se retrouvent dans le jardin.

■ RÉFLÉCHIR

STRATÉGIES : une entreprise réussie ?

1. Le stratagème de Valentin a-t-il fonctionné ? À quel prix ?

2. Montrez par des éléments du texte que Valentin est satisfait de son entrée au château.

3. Quels détails nous montrent que Van Buck est prisonnier de la gageure de son neveu ?

REGISTRES ET TONALITÉS : images ironiques

4. Relevez les traits d'ironie dans les répliques de Valentin. Que révèlent-ils ?

5. Étudiez les métaphores* militaires employées par Valentin. Qu'expriment-elles ?

6. Analysez la manière dont Valentin décrit l'arrivée de Cécile. Quelle image emploie-t-il pour désigner cette arrivée ?

THÈMES : la vie est un roman

7. La conception du mariage de Van Buck et de Valentin a-t-elle évolué depuis la scène 1 de l'acte I ?

8. Analysez la tirade de Valentin (l. 70-81). Par quels procédés d'écriture Musset souligne-t-il le caractère romanesque* du jeune homme dans ce passage ?

9. Recherchez l'intrigue du roman épistolaire *La Nouvelle Héloïse* ? Pourquoi Musset place-t-il cet exemple littéraire dans le discours de Valentin ?

■ DIRE

10. « Si notre future [...] vous m'en direz votre avis » (l. 55-104). Proposez deux manières de dire ce passage.

150 et cette contenance défaite ? Est-ce à dire que vous me
prenez pour un libertin de votre espèce, et que vous vous
servez de ma folle complaisance comme d'un manteau
pour vos méchants desseins ? N'est-ce donc vraiment
qu'une séduction que vous venez de tenter ici sous le
155 masque de cette épreuve ? Jour de Dieu ! si je le croyais !...

VALENTIN. Elle me déplaît, ce n'est pas ma faute, et je
n'en ai pas répondu.

VAN BUCK. En quoi peut-elle vous déplaire ? Elle est
jolie, ou je ne m'y connais pas. Elle a les yeux longs et
160 bien fendus, des cheveux superbes, une taille passable.
Elle est parfaitement bien élevée ; elle sait l'anglais et
l'italien ; elle aura trente mille livres de rente, et en attendant une très belle dot. Quel reproche pouvez-vous lui
faire, et pour quelle raison n'en voulez-vous pas ?

165 VALENTIN. Il n'y a jamais de raison à donner pourquoi
les gens plaisent ou déplaisent. Il est certain qu'elle me
déplaît, elle, sa foulure et son bouillon.

VAN BUCK. C'est votre amour-propre qui souffre. Si je
n'avais pas été là, vous seriez venu me faire cent contes sur
170 votre premier entretien, et vous targuer de belles espérances. Vous vous étiez imaginé faire sa conquête en un
clin d'œil, et c'est là où le bât vous blesse. Elle vous
plaisait hier au soir, quand vous ne l'aviez encore
qu'entrevue, et qu'elle s'empressait avec sa mère à vous
175 soigner de votre sot accident. Maintenant, vous la trouvez
laide, parce qu'elle a fait à peine attention à vous. Je vous
connais mieux que vous ne pensez, et je ne céderai pas si
vite. Je vous défends de vous en aller.

VALENTIN. Comme vous voudrez ; je ne veux pas
180 d'elle ; je vous répète que je la trouve laide, et elle a un
air niais qui est révoltant. Ses yeux sont grands, c'est
vrai, mais ils ne veulent rien dire ; ses cheveux sont
beaux, mais elle a le front plat ; quant à la taille, c'est
peut-être ce qu'elle a de mieux, quoique vous ne la

185 trouviez que passable. Je la félicite de savoir l'italien, elle
y a peut-être plus d'esprit qu'en français ; pour ce qui
est de sa dot, qu'elle la garde ; je n'en veux pas plus que
de son bouillon.

VAN BUCK. A-t-on idée d'une pareille tête, et peut-on
190 s'attendre à rien de semblable ? Va, va, ce que je te disais
hier n'est que la pure vérité. Tu n'es capable que de rêver
des balivernes[1], et je ne veux plus m'occuper de toi.
Épouse une blanchisseuse si tu veux. Puisque tu refuses ta
fortune, lorsque tu l'as entre les mains, que le hasard
195 décide du reste ; cherche-le au fond de tes cornets[2]. Dieu
m'est témoin que ma patience a été telle depuis trois ans
que nul autre peut-être à ma place…

VALENTIN. Est-ce que je me trompe ? Regardez donc,
mon oncle. Il me semble qu'elle revient par ici. Oui, je
200 l'aperçois entre les arbres ; elle va repasser dans le taillis.

VAN BUCK. Où donc ? quoi ? qu'est-ce que tu dis ?

VALENTIN. Ne voyez-vous pas une robe blanche derrière
ces touffes de lilas ? Je ne me trompe pas ; c'est bien elle.
Vite, mon oncle, rentrez dans la charmille, qu'on ne nous
205 surprenne pas ensemble.

VAN BUCK. À quoi bon, puisqu'elle te déplaît ?

VALENTIN. Il n'importe, je veux l'aborder, pour que
vous ne puissiez pas dire que je l'ai jugée trop légèrement.

VAN BUCK. Tu l'épouseras si elle persévère ? *(Il se cache*
210 *de nouveau.)*

VALENTIN. Chut ! pas de bruit ; la voici qui arrive.

CÉCILE, *entrant.* Monsieur, ma mère m'a chargée de vous
demander si vous comptiez partir aujourd'hui.

VALENTIN. Oui, mademoiselle, c'est mon intention, et j'ai
215 demandé des chevaux.

---

1. **Balivernes :** inepties, sottises, futilités.
2. **Cornet :** gobelet utilisé pour les jeux de dés. Dans *Les Caprices de Marianne* (1833), Claudio traite Octave de « cornet de passe-dix » (II, 1).

CÉCILE. C'est qu'on fait un whist[1] au salon, et que ma mère vous serait bien obligée si vous vouliez faire le quatrième.

VALENTIN. J'en suis fâché, mais je ne sais pas jouer.

CÉCILE. Et si vous vouliez rester à dîner, nous avons un
220 faisan truffé.

VALENTIN. Je vous remercie ; je n'en mange pas.

CÉCILE. Après dîner, il nous vient du monde, et nous danserons la mazourke[2].

VALENTIN. Excusez-moi, je ne danse jamais.

225 **CÉCILE.** C'est bien dommage. Adieu, monsieur. *(Elle sort.)*

VAN BUCK, *rentrant.* Ah ça ! voyons, l'épouseras-tu ? Qu'est-ce que tout cela signifie ? Tu dis que tu as demandé des chevaux : est-ce que c'est vrai ? ou si tu te moques de moi ?

230 **VALENTIN.** Vous aviez raison, elle est agréable ; je la trouve mieux que la première fois ; elle a un petit signe au coin de la bouche que je n'avais pas remarqué.

VAN BUCK. Où vas-tu ? Qu'est-ce qui t'arrive ? Veux-tu me répondre sérieusement ?

235 **VALENTIN.** Je ne vais nulle part, je me promène avec vous. Est-ce que vous la trouvez mal faite ?

VAN BUCK. Moi ? Dieu m'en garde ! je la trouve complète en tout.

VALENTIN. Il me semble qu'il est bien matin pour jouer au
240 whist ; y jouez-vous, mon oncle ? Vous devriez rentrer au château.

VAN BUCK. Certainement, je devrais y rentrer ; j'attends que vous daigniez me répondre. Restez-vous ici, oui ou non ?

---

1. Whist : jeu de cartes très prisé au XIXe siècle.
2. Mazourke (mazurka) : danse polonaise à trois temps. Frédéric Chopin (1810-1849), contemporain de Musset, composa des mazurkas restées célèbres.

VALENTIN. Si je reste, c'est pour notre gageure ; je n'en
245 voudrais pas avoir le démenti ; mais ne comptez sur rien
jusqu'à tantôt ; mon bras malade me met au supplice.

VAN BUCK. Rentrons ; tu te reposeras.

VALENTIN. Oui, j'ai envie de prendre ce bouillon qui est
là-haut ; il faut que j'écrive ; je vous reverrai à dîner.

250 **VAN BUCK.** Écrire ! j'espère que ce n'est pas à elle que tu
écriras.

VALENTIN. Si je lui écris, c'est pour notre gageure. Vous
savez que c'est convenu.

VAN BUCK. Je m'y oppose formellement, à moins que tu
255 me montres ta lettre.

VALENTIN. Tant que vous voudrez ; je vous dis et je vous
répète qu'elle me plaît médiocrement.

VAN BUCK. Quelle nécessité de lui écrire ? Pourquoi ne lui
as-tu pas fait tout à l'heure ta déclaration de vive voix,
260 comme tu te l'étais promis ?

VALENTIN. Pourquoi ?

VAN BUCK. Sans doute ; qu'est-ce qui t'en empêchait ? Tu
avais le plus beau courage du monde.

VALENTIN. C'est que mon bras me faisait souffrir. Tenez,
265 la voilà qui repasse une troisième fois ; la voyez-vous, là-bas,
dans l'allée ?

VAN BUCK. Elle tourne autour de la plate-bande, et la
charmille est circulaire. Il n'y a rien là que de très convenable.

270 **VALENTIN.** Ah ! coquette fille ! c'est autour du feu qu'elle
tourne, comme un papillon ébloui. Je veux jeter cette pièce à
pile ou face, pour savoir si je l'aimerai.

VAN BUCK. Tâche donc qu'elle t'aime auparavant ; le reste
est le moins difficile.

275 **VALENTIN.** Soit ; regardons-la bien tous les deux. Elle va

passer entre ces deux touffes d'arbres. Si elle tourne la tête
de notre côté, je l'aime, sinon, je m'en vais à Paris.

Van Buck. Gageons qu'elle ne se retourne pas.

Valentin. Oh ! que si ; ne la perdons pas de vue.

280 **Van Buck.** Tu as raison. – Non, pas encore ; elle paraît lire
attentivement.

Valentin. Je suis sûr qu'elle va se retourner.

Van Buck. Non ; elle avance ; la touffe d'arbres approche.
Je suis convaincu qu'elle n'en fera rien.

285 **Valentin.** Elle doit pourtant nous voir ; rien ne nous
cache ; je vous dis qu'elle se retournera.

Van Buck. Elle a passé. Tu as perdu.

Valentin. Je vais lui écrire, ou que le ciel m'écrase ! Il faut
que je sache à quoi m'en tenir. C'est incroyable qu'une
290 petite fille traite les gens aussi légèrement. Pure hypocrisie !
pur manège ! Je vais lui dépêcher[1] un billet en règle ; je lui
dirai que je meurs d'amour pour elle, que je me suis cassé le
bras pour la voir, que si elle me repousse, je me brûle la
cervelle, et que si elle veut de moi, je l'enlève demain matin.
295 Venez, rentrons, je veux écrire devant vous.

Van Buck. Tout beau, mon neveu, quelle mouche vous
pique ? Vous nous ferez quelque mauvais tour ici.

Valentin. Croyez-vous donc que deux mots en l'air
puissent signifier quelque chose ? Que lui ai-je dit que
300 d'indifférent, et que m'a-t-elle dit elle-même ? Il est tout
simple qu'elle ne se retourne pas. Elle ne sait rien, et je n'ai
rien su lui dire. Je ne suis qu'un sot, si vous voulez ; il est
possible que je me pique d'orgueil et que mon amour-
propre soit en jeu. Belle ou laide, peu m'importe ; je veux
305 voir clair dans son âme. Il y a là-dessous quelque ruse,
quelque parti pris que nous ignorons ; laissez-moi faire,
tout s'éclaircira.

---

1. **Dépêcher** : envoyer, adresser.

SITUER

Valentin et Van Buck sont toujours dans le jardin. Cécile effectue
plusieurs allées et venues qui contraignent Van Buck à se cacher
derrière un bosquet.

RÉFLÉCHIR

DRAMATURGIE : côté jardin

1. Où se déroule la scène ? Quel sens et quelle fonction peut-on
donner à ce lieu ?

2. Analysez les didascalies*. Sur quoi nous renseignent-elles ?

3. Quelle place Musset accorde-t-il ici au jeu et aux mouvements
des personnages ?

STRATÉGIES : le jugement de Cécile

4. Sur quel ton et de quelle manière Cécile s'adresse-t-elle à Valentin ?
Quelles sont ses principales préoccupations à l'égard du jeune
homme ? Que traduit cette attitude ?

5. De quelle façon Cécile se montre-t-elle digne de l'éducation
qu'elle a reçue ? Est-elle respectueuse des règles de l'hospitalité ?

6. Observez les répliques de Valentin lors de la première entrée de
Cécile. Quel ton emploie-t-il ? Selon vous, pourquoi ?

7. Relevez les tournures hyperboliques* ou emphatiques* dans les
répliques de Valentin. Que traduisent-elles dans cette situation ?
Quel effet crée cette emphase sur le lecteur (le spectateur) ?

8. Pourquoi, selon vous, la dernière apparition de Cécile pique-t-elle
la curiosité de Valentin ?

REGISTRES ET TONALITÉS : le cocasse

9. Dans quelle mesure Van Buck apparaît-il ici comme un fantoche* ?
Quelle est sa part d'initiative dans cette scène ?

10. Pourquoi l'attitude de Van Buck constitue-t-elle ici l'un des prin-
cipaux ressorts du comique ?

ÉCRIRE

11. L'abbé est caché dans un taillis et rapporte ce qu'il a vu et
entendu à la baronne. Vous écrirez ce récit dans une tirade en vers
ou en prose.

VAN BUCK. Le diable m'emporte, tu parles en amoureux. Est-ce que tu le serais, par hasard ?

310 **VALENTIN.** Non ; je vous ai dit qu'elle me déplaît. Faut-il vous rebattre cent fois la même chose ? Dépêchons-nous, rentrons au château.

VAN BUCK. Je vous ai dit que je ne veux pas de lettre, et surtout de celle dont vous me parlez.

315 **VALENTIN.** Venez toujours, nous nous déciderons.

(Ils sortent.)

Scène 2

Le salon.

LA BARONNE, *et* L'ABBÉ, *devant une table de jeu préparée.*

LA BARONNE. Vous direz ce que vous voudrez, c'est désolant de jouer avec un mort[1]. Je déteste la campagne à cause de cela.

L'ABBÉ. Mais où est donc M. Van Buck ? Est-ce qu'il
5 n'est pas encore descendu ?

LA BARONNE. Je l'ai vu tout à l'heure dans le parc avec ce monsieur de la chaise, qui, par parenthèse, n'est guère poli de ne pas vouloir nous rester à dîner.

L'ABBÉ. S'il a des affaires pressées…

10 **LA BARONNE.** Bah ! des affaires, tout le monde en a. La belle excuse ! Si on ne pensait jamais qu'aux affaires, on ne serait jamais à rien. Tenez ! l'abbé, jouons au piquet[2] ; je me sens d'une humeur massacrante.

L'ABBÉ, *mêlant les cartes.* Il est certain que les jeunes gens
15 du jour ne se piquent pas d'être polis.

LA BARONNE. Polis ! je crois bien. Est-ce qu'ils s'en doutent ? et qu'est-ce que c'est que d'être poli ? Mon cocher est poli. De mon temps, l'abbé, on était galant.

L'ABBÉ. C'était le bon, madame la baronne, et plût au
20 ciel que j'y fusse né !

LA BARONNE. J'aurais voulu voir que mon frère, qui était à Monsieur[3], tombât de carrosse à la porte d'un château, et qu'on l'y eût gardé à coucher. Il aurait plutôt perdu sa fortune que de refuser de faire un quatrième. Tenez, ne
25 parlons plus de ces choses-là. C'est à vous de prendre ; vous n'en laissez pas ?

---

1. Avec un mort : expression qui signifie que l'on joue à deux ou trois et qu'il manque un partenaire.
2. Piquet : jeu qui consiste à réunir le plus de cartes de la même couleur.
3. Monsieur : titre porté par l'aîné des frères du roi.

L'ABBÉ. Je n'ai pas un as ; voilà M. Van Buck. *(Entre Van Buck.)*

LA BARONNE. Continuons ; c'est à vous de parler.

30 **VAN BUCK,** *bas à la baronne.* Madame, j'ai deux mots à vous dire qui sont de dernière importance.

LA BARONNE. Eh bien ! après le marqué[1].

L'ABBÉ. Cinq cartes, valant quarante-cinq.

LA BARONNE. Cela ne vaut pas. *(À Van Buck.)* Qu'est-ce 35 donc ?

VAN BUCK. Je vous supplie de m'accorder un moment ; je ne puis parler devant un tiers, et ce que j'ai à vous dire ne souffre aucun retard.

LA BARONNE *se lève.* Vous me faites peur ; de quoi s'agit-il ?

40 **VAN BUCK.** Madame, c'est une grave affaire, et vous allez peut-être vous fâcher contre moi. La nécessité me force de manquer à une promesse que mon imprudence m'a fait accorder. Le jeune homme à qui vous avez donné l'hospitalité cette nuit, est mon neveu.

45 **LA BARONNE.** Ah bah ! quelle idée !

VAN BUCK. Il désirait approcher de vous sans être connu ; je n'ai pas cru mal faire en me prêtant à une fantaisie qui, en pareil cas, n'est pas nouvelle.

LA BARONNE. Ah ! mon Dieu ! j'en ai vu bien d'autres !

50 **VAN BUCK.** Mais je dois vous avertir qu'à l'heure qu'il est, il vient d'écrire à mademoiselle de Mantes, et dans les termes les moins retenus. Ni mes menaces, ni mes prières, n'ont pu le dissuader de sa folie ; et un de vos gens, je le dis à regret, s'est chargé de remettre le billet à son adresse. Il s'agit d'une décla-55 ration d'amour, et, je dois ajouter, des plus extravagantes.

LA BARONNE. Vraiment ! eh bien ! ce n'est pas si mal. Il a de la tête, votre petit bonhomme.

---

1. **Marqué :** moment de la partie où l'on marque les points.

VAN BUCK. Jour de Dieu ! je vous en réponds ! ce n'est pas d'hier que j'en sais quelque chose. Enfin, madame, c'est à
60 vous d'aviser aux moyens de détourner les suites de cette affaire. Vous êtes chez vous ; et quant à moi, je vous avouerai que je suffoque, et que les jambes vont me manquer. Ouf ! *(Il tombe dans une chaise.)*

LA BARONNE. Ah ! ciel ! qu'est-ce que vous avez donc ?
65 Vous êtes pâle comme un linge ! Vite ! racontez-moi tout ce qui s'est passé, et faites-moi confidence entière.

VAN BUCK. Je vous ai tout dit ; je n'ai rien à ajouter.

LA BARONNE. Ah ! bah ! ce n'est que ça ! Soyez donc sans crainte ; si votre neveu a écrit à Cécile, la petite me montrera
70 le billet.

VAN BUCK. En êtes-vous sûre, baronne ? Cela est dangereux.

LA BARONNE. Belle question ! Où en serions-nous si une fille ne montrait pas à sa mère une lettre qu'on lui écrit ?

VAN BUCK. Hum ! je n'en mettrais pas ma main au feu.

75 **LA BARONNE.** Qu'est-ce à dire, monsieur Van Buck ? Savez-vous à qui vous parlez ? Dans quel monde avez-vous vécu pour élever un pareil doute ? Je ne sais pas trop comme on fait aujourd'hui, ni de quel train va votre bourgeoisie ; mais, vertu de ma vie, en voilà assez ; j'aperçois justement
80 ma fille, et vous verrez qu'elle m'apporte sa lettre. Venez, l'abbé, continuons. *(Elle se remet au jeu. Entre Cécile, qui va à la fenêtre, prend son ouvrage et s'assoit à l'écart.)*

L'ABBÉ. Quarante-cinq ne valent pas ?

85 **LA BARONNE.** Non, vous n'avez rien ; quatorze d'as, six et quinze, c'est quatre-vingt-quinze. À vous de jouer.

L'ABBÉ. Trèfle. Je crois que je suis capot[1].

VAN BUCK, *bas à la baronne.* Je ne vois pas que mademoiselle Cécile vous fasse encore de confidence…

---

1. **Capot :** aux cartes, signifie qu'on ne fait aucune levée.

90 **LA BARONNE**, *bas à Van Buck*. Vous ne savez pas ce que vous dites ; c'est l'abbé qui la gêne ; je suis sûre d'elle comme de moi. Je fais repic[1] seulement. Cent dix-sept de reste. À vous à faire.

UN DOMESTIQUE, *entrant*. Monsieur l'abbé, on vous 95 demande ; c'est le sacristain[2] et le bedeau[3] du village.

L'ABBÉ. Qu'est-ce qu'ils me veulent ? je suis occupé.

LA BARONNE. Donnez vos cartes à Van Buck ; il jouera ce coup-ci pour vous. (*L'abbé sort. Van Buck prend sa place.*)

LA BARONNE. C'est vous qui faites, et j'ai coupé. Vous êtes 100 marqué, selon toute apparence. Qu'est-ce que vous avez donc dans les doigts ?

VAN BUCK, *bas*. Je vous confesse que je ne suis pas tranquille ; votre fille ne dit mot, et je ne vois pas mon neveu.

LA BARONNE. Je vous dis que j'en réponds ; c'est vous qui 105 la gênez ; je la vois d'ici qui me fait des signes.

VAN BUCK. Vous croyez ? moi, je ne vois rien.

LA BARONNE. Cécile, venez donc un peu ici ; vous vous tenez à une lieue[4]. (*Cécile approche son fauteuil.*) Est-ce que vous n'avez rien à me dire, ma chère ?

110 **CÉCILE.** Moi ? non, maman.

LA BARONNE. Ah ! bah ! je n'ai que quatre cartes, Van Buck. Le point est à vous ; j'ai trois valets.

VAN BUCK. Voulez-vous que je vous laisse seules ?

LA BARONNE. Non ; restez donc, ça ne fait rien. Cécile, tu 115 peux parler devant monsieur.

---

1. **Je fais repic :** terme du jeu de piquet. S'emploie lorsqu'un des joueurs compte quatre-vingt-dix points, avec trente points en main avant que ne commence la partie.
2. **Sacristain :** personne qui assure le soin de la sacristie et, par extension, de l'église.
3. **Bedeau :** laïque employé pour l'entretien matériel de l'église.
4. **Lieue :** ancienne unité de mesure qui équivaut à quatre kilomètres. Il s'agit ici d'une hyperbole* qui montre que Cécile se tient loin de la compagnie.

CÉCILE. Moi, maman ? Je n'ai rien de secret à dire.

LA BARONNE. Vous n'avez pas à me parler ?

CÉCILE. Non, maman.

LA BARONNE. C'est inconcevable ; qu'est-ce que vous venez
120 donc me conter, Van Buck ?

VAN BUCK. Madame, j'ai dit la vérité.

LA BARONNE. Ça ne se peut pas : Cécile n'a rien à me dire ;
il est clair qu'elle n'a rien reçu.

VAN BUCK, *se levant.* Eh ! morbleu, je l'ai vu de mes yeux.

125 LA BARONNE, *se levant aussi.* Ma fille, qu'est-ce que cela
signifie ? Levez-vous droite, et regardez-moi. Qu'est-ce que
vous avez dans vos poches ?

CÉCILE, *pleurant.* Mais, maman, ce n'est pas ma faute ;
c'est ce monsieur qui m'a écrit.

130 LA BARONNE. Voyons cela. *(Cécile donne la lettre.)* Je suis
curieuse de lire de son style, à ce monsieur, comme vous
l'appelez. *(Elle lit.)*
« Mademoiselle,
Je meurs d'amour pour vous. Je vous ai vue l'hiver passé, et,
135 vous sachant à la campagne, j'ai résolu de vous revoir ou de
mourir. J'ai donné un louis à mon postillon… »
Ne voudrait-il pas qu'on le lui rende ? Nous avons bien
affaire de le savoir !
« À mon postillon, pour me verser devant votre porte. Je
140 vous ai rencontrée deux fois ce matin, et je n'ai rien pu vous
dire, tant votre présence m'a troublé. Cependant, la crainte
de vous perdre, et l'obligation de quitter le château… »
J'aime beaucoup ça. Qui est-ce qui le priait de partir ? C'est
lui qui me refuse de rester à dîner.
145 « Me déterminent à vous demander de m'accorder un rendez-
vous. Je sais que je n'ai aucun titre à votre confiance… »
La belle remarque, et faite à propos.
« Mais l'amour peut tout excuser ; ce soir, à neuf heures,
pendant le bal, je serai caché dans le bois ; tout le monde ici

150 me croira parti, car je sortirai du château en voiture avant
dîner, mais seulement pour faire quatre pas et descendre. »
Quatre pas ! quatre pas ! l'avenue est longue ; dirait-on pas
qu'il n'y a qu'à enjamber ?
« Et descendre. Si dans la soirée vous pouvez vous échapper,
155 je vous attends ; sinon, je me brûle la cervelle. »
Bien.
« La cervelle. Je ne crois pas que votre mère… »
Ah ! que votre mère ? voyons un peu cela.
« Fasse grande attention à vous. Elle a une tête de gir… »
160 Monsieur Van Buck, qu'est-ce que cela signifie ?

VAN BUCK. Je n'ai pas entendu, madame.

LA BARONNE. Lisez vous-même, et faites-moi le plaisir de
dire à votre neveu qu'il sorte de ma maison tout à l'heure, et
qu'il n'y mette jamais les pieds.

165 **VAN BUCK.** Il y a girouette ; c'est positif ; je ne m'en étais
pas aperçu. Il m'avait cependant lu sa lettre avant que de la
cacheter.

LA BARONNE. Il vous avait lu cette lettre, et vous l'avez
laissé la donner à mes gens ! Allez, vous êtes un vieux sot, et
170 je ne vous reverrai de ma vie. *(Elle sort. On entend le bruit
d'une voiture.)*

VAN BUCK. Qu'est-ce que c'est ? mon neveu qui part sans
moi ? Eh ! comment veut-il que je m'en aille ? j'ai renvoyé
mes chevaux. Il faut que je coure après lui. *(Il sort en
175 courant.)*

CÉCILE, *seule.* C'est singulier ; pourquoi m'écrit-il, quand
tout le monde veut bien qu'il m'épouse ?

▬ SITUER

La scène 2 nous plonge à nouveau dans l'univers de la baronne. Van Buck, inquiet des agissements et des projets de son neveu, finit par révéler le « pot aux roses ».

▬ RÉFLÉCHIR

THÈMES : une satire* de l'aristocratie ?

1. Relevez quelques tournures plaisantes dans les répliques de la baronne. Sur quels procédés d'écriture repose ici l'humour ?

2. Selon vous, quelle différence la baronne fait-elle entre politesse et galanterie ? Que révèle cette différence dans son caractère et son éducation ?

3. Dans quelle mesure Musset dresse-t-il une satire de l'aristocratie ?

STRATÉGIES : la trahison de l'oncle

4. Pourquoi Van Buck trahit-il le secret de son neveu ?

5. Musset ménage-t-il ici un coup de théâtre* ?

6. La baronne est-elle surprise de la révélation de Van Buck ? Comment peut-on analyser sa réaction ? Est-elle capable de s'adapter à des situations nouvelles ?

7. Pourquoi cette révélation de Van Buck influe-t-elle considérablement sur la suite de l'intrigue ?

MISE EN SCÈNE : le rythme au service de l'humour

8. Dégagez les différents mouvements de la scène ? Comment se justifient les entrées et les sorties de chaque personnage ?

9. Qu'est-ce qu'une « girouette » ? Le terme choisi par Valentin vous semble-t-il pertinent ? Quel est l'effet de ce mot sur la baronne ? sur les autres personnages ? sur le spectateur ?

10. Quel effet crée l'accélération du rythme à la fin de la scène ?

11. Analysez la dernière réplique de la scène. En quoi diffère-t-elle du reste des répliques des autres personnages ?

▬ DIRE

12. Lisez la lettre (l. 130-160) en différenciant bien les propos de Valentin et les commentaires de la baronne. Veillez à la justesse du ton.

DRAMATURGIE : péripéties* et contretemps

L'acte II voit la réalisation partielle de la gageure de Valentin. Cependant, plusieurs péripéties viennent remettre en cause le bon déroulement des manœuvres.

1. Observez les différents lieux de l'action. En quoi interviennent-ils dans le déroulement des événements ?

2. Confrontez la structure de l'acte I à celle de l'acte II. Que remarquez-vous ? Qu'en concluez-vous ?

3. Les détails fournis par Musset sont-ils suffisants pour se représenter les lieux ?

4. Que provoque la révélation de Van Buck à la baronne ? S'attendait-on à un tel événement ?

STYLE : l'esprit au service du rire

Dans cet acte, le style de Musset sert le comique des situations. Les variations constantes de registres à l'intérieur des dialogues et la pertinence des réponses de Van Buck brisent les attentes que l'acte I avait installées.

5. Sur quel principe repose le comique de la scène 1 ? Quel personnage concerne-t-il principalement ?

6. Montrez de quelle manière la baronne détourne la déclaration de Valentin en lisant sa lettre. Quel est l'effet produit ?

7. La baronne s'étonne-t-elle que Valentin soit le neveu de Van Buck ? pourquoi ?

8. Les réactions de la baronne sont-elles attendues ? Quelle est l'origine de sa colère ?

9. Peut-on affirmer qu'à la fin de l'acte II, tout le plan de Valentin est remis en cause ?

PERSONNAGES : tel est pris qui croyait prendre

10. En quoi l'attitude de Cécile perturbe-t-elle le projet de Valentin ?

11. Quelle signification peut-on accorder à la dernière réplique de l'acte II ? En quoi celle-ci éclaire-t-elle toute l'attitude de la jeune fille ?

12. Étudiez les différents revirements de Valentin dans l'acte II. Qu'en déduisez-vous sur la suite des aventures ?

13. Quels sont les différents obstacles qui s'opposent à la réalisation de l'entreprise de Valentin ?

14. Quelles sont les attentes des spectateurs à la fin de cet acte ?

ACTE III
SCÈNE PREMIÈRE
Un chemin.

Entrent VAN BUCK *et* VALENTIN, *qui frappe à une auberge.*

VALENTIN. Holà ! hé ! y a-t-il quelqu'un ici capable de me faire une commission ?

UN GARÇON, *sortant.* Oui, monsieur, si ce n'est pas trop loin ; car vous voyez qu'il pleut à verse.

5 VAN BUCK. Je m'y oppose de toute mon autorité, et au nom des lois du royaume.

VALENTIN. Connaissez-vous le château de Mantes, ici près ?

LE GARÇON. Que oui, monsieur, nous y allons tous les jours. C'est à main gauche ; on le voit d'ici.

10 VAN BUCK. Mon ami, je vous défends d'y aller, si vous avez quelque notion du bien et du mal.

VALENTIN. Il y a deux louis à gagner pour vous. Voilà une lettre pour mademoiselle de Mantes, que vous remettrez à sa femme de chambre, et non à d'autres, et en 15 secret. Dépêchez-vous et revenez.

LE GARÇON. Oh ! monsieur, n'ayez pas peur.

VAN BUCK. Voilà quatre louis si vous refusez.

LE GARÇON. Oh ! monseigneur, il n'y a pas de danger.

VALENTIN. En voilà dix ; et si vous n'y allez pas, je vous 20 casse ma canne sur le dos.

LE GARÇON. Oh ! mon prince, soyez tranquille ; je serai bientôt revenu. *(Il sort.)*

VALENTIN. Maintenant, mon oncle, mettons-nous à l'abri ; et si vous m'en croyez, buvons un verre de bière. 25 Cette course à pied doit vous avoir fatigué. *(Ils s'assoient sur un banc.)*

VAN BUCK. Sois-en certain, je ne te quitterai pas ; j'en

jure par l'âme de feu mon frère et par la lumière du soleil.
Tant que mes pieds pourront me porter, tant que ma tête
30 sera sur mes épaules, je m'opposerai à cette action infâme
et à ses horribles conséquences.

VALENTIN. Soyez-en sûr, je n'en démordrai pas ; j'en
jure par ma juste colère et par la nuit qui me protégera.
Tant que j'aurai du papier et de l'encre, et qu'il me
35 restera un louis dans ma poche, je poursuivrai et achèverai
mon dessein, quelque chose qui puisse en arriver.

VAN BUCK. N'as-tu donc plus ni foi ni vergogne[1], et se
peut-il que tu sois mon sang ? Quoi ! ni le respect pour
l'innocence, ni le sentiment du convenable, ni la certitude
40 de me donner la fièvre, rien n'est capable de te toucher !

VALENTIN. N'avez-vous donc ni orgueil ni honte, et se
peut-il que vous soyez mon oncle ? Quoi ! ni l'insulte que
l'on nous fait, ni la manière dont on nous chasse, ni les
injures qu'on vous a dit à votre barbe, rien n'est capable
45 de vous donner du cœur !

VAN BUCK. Encore si tu étais amoureux ! si je pouvais
croire que tant d'extravagances partent d'un motif qui
eût quelque chose d'humain ! Mais non, tu n'es qu'un
Lovelace[2], tu ne respires que trahisons, et la plus exé-
50 crable vengeance est ta seule soif et ton seul amour.

VALENTIN. Encore si je pouvais pester ! si je pouvais me
dire qu'au fond de l'âme vous envoyez cette baronne et son
monde à tous les diables ! Mais non, vous ne craignez que la
pluie, vous ne pensez qu'au mauvais temps qu'il fait, et le soin
55 de vos bas chinés est votre seule peur et votre seul tourment.

VAN BUCK. Ah ! qu'on a bien raison de dire qu'une

---

1. **Vergogne :** honte, pudeur.
2. **Lovelace :** héros du roman épistolaire *Clarisse Harlowe* (1748) de Samuel
Richardson (1689-1761). Robert Lovelace représente le type du
séducteur sans scrupules ; il agit de façon crapuleuse avec Clarisse, qui
meurt de chagrin. À l'issue du drame, Lovelace périt au cours d'un duel.
Une adaptation de ce roman a été donnée en 1833 à Paris au Théâtre-
Français (Comédie-Française).

première faute mène à un précipice ! Qui m'eût pu prédire
ce matin, lorsque le barbier m'a rasé, et que j'ai mis mon
habit neuf, que je serais ce soir dans une grange, crotté et
60 trempé jusqu'aux os ! Quoi ! c'est moi ! Dieu juste ! à mon
âge ! Il faut que je quitte ma chaise de poste où nous étions
si bien installés, il faut que je coure à la suite d'un fou, à
travers champs, en rase campagne ! Il faut que je me traîne
à ses talons, comme un confident de tragédie, et le résultat
65 de tant de sueurs sera le déshonneur de mon nom !

VALENTIN. C'est au contraire par la retraite que nous
pourrions nous déshonorer, et non par une glorieuse
campagne dont nous ne sortirons que vainqueurs.
Rougissez, mon oncle Van Buck, mais que ce soit d'une
70 noble indignation. Vous me traitez de Lovelace ; oui, par
le ciel ! ce nom me convient. Comme à lui, on me ferme
une porte surmontée de fières armoiries ; comme lui, une
famille odieuse croit m'abattre par un affront ; comme
lui, comme l'épervier, j'erre et je tournoie aux environs ;
75 mais comme lui je saisirai ma proie, et, comme Clarisse[1],
la sublime bégueule[2], ma bien-aimée m'appartiendra.

VAN BUCK. Ah ciel ! que ne suis-je à Anvers, assis devant
mon comptoir, sur mon fauteuil de cuir, et dépliant mon
taffetas[3] ! Que mon frère n'est-il mort garçon, au lieu de
80 se marier à quarante ans passés ! Ou plutôt que ne suis-je
mort moi-même, le premier jour que la baronne de
Mantes m'a invité à déjeuner !

VALENTIN. Ne regrettez pas le moment où, par une
fatale faiblesse, vous avez révélé à cette femme le secret de
85 notre traité. C'est vous qui avez causé le mal ; cessez de
m'injurier, moi qui le réparerai. Doutez-vous que cette
petite fille, qui cache si bien les billets doux dans les

---

1. Clarisse : héroïne éponyme du roman de Richardson (voir note précédente).

2. Bégueule : femme exagérément prude. Dans *Les Caprices de Marianne*, Octave déclare à propos de l'héroïne qui se refuse à l'amour de Cœlio : « Marianne est une bégueule » (II, 1).

3. Taffetas : étoffe de soie souvent moirée.

poches de son tablier, ne fût venue au rendez-vous donné ? Oui, à coup sûr elle y serait venue ; donc elle
90 viendra encore mieux cette fois. Par mon patron[1] ! je me fais une fête de la voir descendre en peignoir, en cornette[2] et en petits souliers, de cette grande caserne de briques rouillées ! Je ne l'aime pas, mais je l'aimerais, que la vengeance serait la plus forte et tuerait l'amour dans mon
95 cœur. Je jure qu'elle sera ma maîtresse, mais qu'elle ne sera jamais ma femme ; il n'y a maintenant ni épreuve, ni promesse, ni alternative ; je veux qu'on se souvienne à jamais dans cette famille du jour où l'on m'en a chassé.

L'AUBERGISTE, *sortant de la maison.* Messieurs, le soleil
100 commence à baisser : est-ce que vous ne me ferez pas l'honneur de dîner chez moi ?

VALENTIN. Si fait ; apportez-nous la carte, et faites-nous allumer du feu. Dès que votre garçon sera revenu, vous lui direz qu'il me donne réponse. Allons, mon oncle, un
105 peu de fermeté ; venez et commandez le dîner.

VAN BUCK. Ils auront du vin détestable ; je connais le pays ; c'est un vinaigre affreux.

L'AUBERGISTE. Pardonnez-moi ; nous avons du champagne, du chambertin[3], et tout ce que vous pouvez désirer.

110 VAN BUCK. En vérité ! dans un trou pareil ? c'est impossible ; vous nous en imposez.

L'AUBERGISTE. C'est ici que descendent les messageries, et vous verrez si nous manquons de rien.

VAN BUCK. Allons ! tâchons donc de dîner ; je sens que ma
115 mort est prochaine, et que dans peu je ne dînerai plus.

(Ils sortent.)

---

1. **Patron** : le patron du jeune homme est saint Valentin, protecteur des amoureux.
2. **Cornette** : coiffure d'intérieur portée par les femmes de la bonne société.
3. **Chambertin** : grand cru de Bourgogne.

SITUER

Valentin et son oncle ont été chassés du château. Ils se retrouvent dans une auberge des alentours.

RÉFLÉCHIR

DRAMATURGIE : lieu réaliste, espace symbolique

1. En quoi le lieu participe-t-il activement à l'action ?

2. Cette scène fait-elle avancer l'intrigue ? Quelle est sa fonction ?

PERSONNAGES : héros de vaudeville* ou de tragédie ?

3. Après s'être comparé à un « oncle du Gymnase » (I, 1), Van Buck se voit maintenant comme confident de tragédie. Expliquez cette image. Que dit-elle de leur situation ? de l'évolution de l'intrigue ?

4. Montrez que l'oncle et le neveu ont un imaginaire radicalement différent. Quel effet cette opposition crée-t-elle ?

5. Comment le courroux de Van Buck s'apaise-t-il ? Qu'en déduisez-vous sur le caractère de l'oncle ?

6. Relevez les formules hyperboliques* dans les répliques des personnages. Que révèlent-elles de leur caractère réciproque ?

7. Van Buck compare Valentin à un Lovelace. Expliquez cette comparaison. Vous semble-t-elle pertinente ?

8. Quels sont les différents sentiments qui poussent Valentin à agir ?

9. Que nous apprend la dernière réplique de la scène sur le personnage de Van Buck ?

REGISTRES ET TONALITÉS : l'héritage de la comédie*

10. En quoi cette scène ressortit-elle à la comédie ? Analysez notamment la surenchère au début de la scène et confrontez-la à la scène 5 de l'acte II du *Bourgeois gentilhomme* de Molière.

11. Étudiez le rôle du garçon d'auberge. Qu'apporte-t-il à la scène ?

12. Relevez les différents parallélismes dans les répliques des deux personnages. Quel effet produisent ces symétries ?

13. Relevez les différents registres présents dans les répliques de Van Buck et de Valentin. Comment Musset détourne-t-il le sens des mots ? Peut-on parler ici de parodie* ?

Scène 2

Au château, un salon.
Entrent **LA BARONNE** *et* **L'ABBÉ**.

LA BARONNE. Dieu soit loué, ma fille est enfermée. Je crois que j'en ferai une maladie.

L'ABBÉ. Madame, s'il m'est permis de vous donner un conseil, je vous dirai que j'ai grandement peur. Je crois avoir
5 vu, en traversant la cour, un homme en blouse[1] et d'assez mauvaise mine[2], qui avait une lettre à la main.

LA BARONNE. Le verrou est mis ; il n'y a rien à craindre. Aidez-moi un peu à ce bal ; je n'ai pas la force de m'en occuper.

10 **L'ABBÉ.** Dans une circonstance aussi grave, ne pourriez-vous retarder vos projets ?

LA BARONNE. Êtes-vous fou ? vous verrez que j'aurai fait venir tout le faubourg Saint-Germain[3] de Paris, pour le remercier et le mettre à la porte ? Réfléchissez donc à ce que
15 vous dites.

L'ABBÉ. Je croyais qu'en telle occasion, on aurait pu sans blesser personne…

LA BARONNE. Et au milieu de ça, je n'ai pas de bougies ! Voyez donc un peu si Dupré est là.

20 **L'ABBÉ.** Je pense qu'il s'occupe des sirops.

LA BARONNE. Vous avez raison ; ces maudits sirops, voilà encore de quoi mourir. Il y a huit jours que j'ai écrit moi-même, et ils ne sont arrivés qu'il y a une heure. Je vous demande si on va boire ça !

25 **L'ABBÉ.** Cet homme en blouse, madame la baronne, est quelque émissaire, n'en doutez pas. Il m'a semblé, autant

---

1. **Blouse :** vêtement porté par les paysans, les ouvriers.
2. **Mauvaise mine :** mauvaise allure, apparence inquiétante.
3. **Faubourg Saint-Germain :** sous la monarchie de Juillet, quartier aristocratique de la capitale.

que je me le rappelle, qu'une de vos femmes causait avec lui. Ce jeune homme d'hier est mauvaise tête, et il faut songer que la manière assez verte dont vous vous en êtes délivrée...

30 **LA BARONNE.** Bah ! des Van Buck ? des marchands de toile ? qu'est-ce que voulez donc que ça fasse ? Quand ils crieraient, est-ce qu'ils ont voix ? Il faut que je démeuble le petit salon ; jamais je n'aurai de quoi asseoir mon monde.

L'ABBÉ. Est-ce dans sa chambre, madame, que votre fille 35 est enfermée ?

LA BARONNE. Dix et dix font vingt ; les Raimbaut sont quatre ; vingt, trente. Qu'est-ce que vous dites, l'abbé ?

L'ABBÉ. Je demande, madame la baronne, si c'est dans sa belle chambre jaune que mademoiselle Cécile est enfermée ?

40 **LA BARONNE.** Non ; c'est là, dans la bibliothèque ; c'est encore mieux ; je l'ai sous la main. Je ne sais ce qu'elle fait, ni si on l'habille, et voilà la migraine qui me prend.

L'ABBÉ. Désirez-vous que je l'entretienne ?

LA BARONNE. Je vous dis que le verrou est mis ; ce qui est 45 fait est fait ; nous n'y pouvons rien.

L'ABBÉ. Je pense que c'était sa femme de chambre qui causait avec ce lourdaud. Veuillez me croire, je vous en supplie ; il s'agit là de quelque anguille sous roche, qu'il importe de ne pas négliger.

50 **LA BARONNE.** Décidément il faut que j'aille à l'office[1] ; c'est la dernière fois que je reçois ici. *(Elle sort.)*

L'ABBÉ, *seul.* Il me semble que j'entends du bruit dans la pièce attenante à ce salon. Ne serait-ce point la jeune fille ? Hélas ! ceci est inconsidéré !

55 **CÉCILE,** *en dehors.* Monsieur l'abbé, voulez-vous m'ouvrir ?

L'ABBÉ. Mademoiselle, je ne le puis sans autorisation préalable.

---

1. **Office :** pièce attenante à la cuisine où se tiennent les gens de service.

CÉCILE, *de même*. La clef est là, sous le coussin de la causeuse[1] ; vous n'avez qu'à la prendre, et vous m'ouvrirez.

60 L'ABBÉ, *prenant la clef.* Vous avez raison, mademoiselle, la clef s'y trouve effectivement ; mais je ne puis m'en servir d'aucune façon, bien contrairement à mon vouloir.

CÉCILE, *de même.* Ah ! mon Dieu ! je me trouve mal !

L'ABBÉ. Grand Dieu ! rappelez vos esprits. Je vais quérir
65 madame la baronne. Est-il possible qu'un accident funeste vous ait frappée si subitement ? Au nom du ciel ! mademoiselle, répondez-moi, que ressentez-vous ?

CÉCILE, *de même.* Je me trouve mal ! je me trouve mal !

L'ABBÉ. Je ne puis laisser expirer ainsi une si charmante
70 personne. Ma foi ! je prends sur moi d'ouvrir ; on en dira ce qu'on voudra. *(Il ouvre la porte.)*

CÉCILE. Ma foi, l'abbé, je prends sur moi de m'en aller ; on en dira ce qu'on voudra. *(Elle sort en courant.)*

---

1. **Causeuse** : petit canapé à deux places.

SITUER

La baronne est affolée : elle attend des invités et rien n'est prêt. De peur qu'elle ne s'échappe, elle a enfermé Cécile dans la bibliothèque.

RÉFLÉCHIR

SOCIÉTÉ : l'art de recevoir

1. À quelles activités la baronne se livre-t-elle dans ce passage ? Diffèrent-elles de celles des scènes précédentes ?

2. Quels renseignements Musset fournit-il sur les habitudes de l'aristocratie ?

3. La peinture qu'en fait Musset est-elle seulement anecdotique ?

PERSONNAGES : l'hystérie collective

4. Quels éléments textuels et gestuels trahissent l'affolement de la baronne ?

5. Par quels moyens l'abbé tente-t-il de mettre en garde la baronne ? Prête-t-elle attention à ses conseils ?

6. Pourquoi la baronne apparaît-elle comme un personnage décalé dans cette scène ?

7. De quelle manière Cécile parvient-elle à s'enfuir ? Que peut-on en déduire sur son caractère ?

8. L'expression « petite masque », employée par la baronne pour désigner Cécile dans la scène 3 de l'acte III (l. 126), vous semblerait-elle pertinente ici ? Pourquoi ?

DRAMATURGIE : l'art de la fugue

9. Dégagez les différentes étapes de cette scène. À quoi correspondent-elles ?

10. Par quels moyens dramaturgiques* Musset souligne-t-il l'urgence de la situation ?

11. Étudiez les différents mouvements et gestes de l'abbé. À quel type de comique ressortissent-ils ?

ÉCRIRE

12. La baronne et l'abbé ont une discussion après la fuite de Cécile. Inventez un dialogue dans lequel l'abbé explique les raisons qui l'ont poussé à ouvrir à la jeune fille.

Scène 3
Un petit bois.
Entrent Van Buck *et* Valentin.

Valentin. La lune se lève et l'orage passe. Voyez ces perles sur les feuilles ; comme ce vent tiède les fait rouler ! À peine si le sable garde l'empreinte de nos pas ; le gravier sec a déjà bu la pluie.

5 **Van Buck.** Pour une auberge de hasard, nous n'avons pas trop mal dîné. J'avais besoin de ce fagot flambant ; mes vieilles jambes sont ragaillardies. Eh bien ! garçon, arrivons-nous ?

Valentin. Voici le terme de notre promenade ; mais si 10 vous m'en croyez, à présent, vous pousserez jusqu'à cette ferme dont les fenêtres brillent là-bas. Vous vous mettrez au coin du feu, et vous nous commanderez un grand bol de vin chaud, avec du sucre et de la cannelle.

Van Buck. Ne te feras-tu pas trop attendre ? Combien 15 de temps vas-tu rester ici ? songe du moins à toutes tes promesses, et à être prêt en même temps que les chevaux.

Valentin. Je vous jure de n'entreprendre ni plus ni moins que ce dont nous sommes convenus. Voyez, mon oncle, comme je vous cède, et comme, en tout, je fais vos 20 volontés. Au fait, dîner porte conseil, et je sens bien que la colère est quelquefois mauvaise amie. Capitulation de part et d'autre. Vous me permettez un quart d'heure d'amourette, et je renonce à toute espèce de vengeance. La petite retournera chez elle, nous à Paris, et tout sera 25 dit. Quant à la détestée baronne, je lui pardonne en l'oubliant.

Van Buck. C'est à merveille ! et n'aie pas de crainte que tu manques de femme pour cela. Il n'est pas dit qu'une vieille folle fera tort à d'honnêtes gens, qui ont amassé un 30 bien considérable, et qui ne sont point mal tournés. Vrai Dieu ! Il fait beau clair de lune ; cela me rappelle mon jeune temps.

VALENTIN. Ce billet doux que je viens de recevoir n'est pas si niais, savez-vous ? cette petite fille a de l'esprit, et
35 même quelque chose de mieux ; oui, il y a du cœur dans ces trois lignes ; je ne sais quoi de tendre et de hardi, de virginal[1] et de brave en même temps ; le rendez-vous qu'elle m'assigne est, du reste, comme son billet. Regardez ce bosquet, ce ciel, ce coin de verdure dans un lieu si sauvage.
40 Ah ! que le cœur est un grand maître ! On n'invente rien de ce qu'il trouve, et c'est lui seul qui choisit tout.

VAN BUCK. Je me souviens qu'étant à La Haye[2], j'eus une équipée de ce genre. C'était, ma foi, un beau brin de fille ; elle avait cinq pieds et quelques pouces[3], et une vraie
45 moisson d'appas[4]. Quelles Vénus[5] que ces Flamandes ! On ne sait ce que c'est qu'une femme à présent ; dans toutes vos beautés parisiennes, il y a moitié chair et moitié coton.

VALENTIN. Il me semble que j'aperçois des lueurs qui errent là-bas dans la forêt. Qu'est-ce que cela voudrait
50 dire ? Nous traquerait-on à l'heure qu'il est ?

VAN BUCK. C'est sans doute le bal qu'on prépare ; il y a fête ce soir au château.

VALENTIN. Séparons-nous pour plus de sûreté ; dans une demi-heure, à la ferme.

55 **VAN BUCK.** C'est dit ; bonne chance, garçon ; tu me conteras ton affaire, et nous en ferons quelque chanson ; c'était notre ancienne manière ; pas de fredaine[6] qui ne fît un couplet. *(Il chante.)*
    Eh ! vraiment, oui, mademoiselle,
60 Eh ! vraiment, oui, nous serons trois.

---

1. **Virginal** : tendre, naïf.
2. **La Haye** : métropole commerçante du sud de la Hollande (Pays-Bas).
3. **Cinq pieds et quelques pouces** : c'est-à-dire qu'elle mesurait environ un mètre soixante-cinq.
4. **Moisson d'appas** : métaphore pour désigner ses charmes et ses agréments.
5. **Vénus** : déesse de la Beauté.
6. **Fredaine** : amourette.

(Valentin sort. On voit des hommes qui portent des torches rôder à travers la forêt. Entrent la baronne et l'abbé.)

LA BARONNE. C'est clair comme le jour ; elle est folle. C'est un vertige qui lui a pris.

65 **L'ABBÉ.** Elle me crie : « Je me trouve mal » ; vous concevez ma position.

VAN BUCK, *chantant* :
Il est donc bien vrai,
Charmante Colette,
70 Il est donc bien vrai
Que pour votre fête,
Colin vous a fait…
Présent d'un bouquet.

LA BARONNE. Et justement, dans ce moment-là, je vois
75 arriver une voiture. Je n'ai eu que le temps d'appeler Dupré. Dupré n'y était pas. On entre, on descend. C'était la marquise de Valangoujard et le baron de Villebouzin.

L'ABBÉ. Quand j'ai entendu ce premier cri, j'ai hésité ; mais que voulez-vous faire ? Je la voyais là, sans connaissance, étendue à terre ; elle criait à tue-tête, et j'avais la clef dans la main.

VAN BUCK, *chantant* :
Quand il vous l'offrit,
Charmante brunette,
Quand il vous l'offrit,
85 Petite Colette,
On dit qu'il vous prit…
Un frisson subit.

LA BARONNE. Conçoit-on ça ? je vous le demande. Ma fille qui se sauve à travers champs, et trente voitures qui entrent
90 ensemble. Je ne survivrai jamais à un pareil moment.

L'ABBÉ. Encore si j'avais eu le temps, je l'aurais peut-être retenue par son châle… ou du moins… enfin, par mes prières, par mes justes observations.

VAN BUCK, *chantant* :

95   Dites à présent,
    Charmante bergère,
    Dites à présent
    Que vous n'aimez guère,
    Qu'un amant constant...
100   Vous fasse un présent[1].

LA BARONNE. C'est vous, Van Buck ? Ah ! mon cher ami,
nous sommes perdus ; qu'est-ce que ça veut dire ? Ma fille est
folle, elle court les champs ! Avez-vous idée d'une chose
pareille ? J'ai quarante personnes chez moi ; me voilà à pied
105 par le temps qu'il fait. Vous ne l'avez pas vue dans le bois ?
Elle s'est sauvée, c'est comme en rêve ; elle était coiffée et
poudrée d'un côté, c'est sa fille de chambre qui me l'a dit.
Elle est partie en souliers de satin blanc ; elle a renversé l'abbé
qui était là, et lui a passé sur le corps. J'en vais mourir ! Mes
110 gens[2] ne trouvent rien ; et il n'y a pas à dire, il faut que je
rentre. Ce n'est pas votre neveu, par hasard, qui nous jouerait
un tour pareil ? Je vous ai brusqué, n'en parlons plus. Tenez,
aidez-moi et faisons la paix. Vous êtes mon vieil ami, pas
vrai ? Je suis mère, Van Buck. Ah ! cruelle fortune ! cruel
115 hasard ! que t'ai-je donc fait ? *(Elle se met à pleurer.)*

VAN BUCK. Est-il possible, madame la baronne ? vous,
seule, à pied ! vous, cherchant votre fille ! Grand Dieu ! vous
pleurez ! Ah ! malheureux que je suis !

L'ABBÉ. Sauriez-vous quelque chose, monsieur ? De grâce,
120 prêtez-nous vos lumières.

VAN BUCK. Venez, baronne ; prenez mon bras, et Dieu
veuille que nous les trouvions ! Je vous dirai tout ; soyez sans
crainte. Mon neveu est homme d'honneur, et tout peut
encore se réparer.

---

1. Présent : Van Buck reprend ici le motif de la pastorale qui met en scène
les amours de pasteurs et de bergères.
2. Gens : domestiques appartenant à la même maison.

125 **LA BARONNE.** Ah ! bah ! c'était un rendez-vous ? Voyez-vous la petite masque[1] ! À qui se fier désormais ? *(Ils sortent.)*

SCÈNE 4
Une clairière dans le bois.
Entrent CÉCILE *et* VALENTIN.

VALENTIN. Qui est là ? Cécile, est-ce vous ?

CÉCILE. C'est moi. Que veulent dire ces torches et ces clartés dans la forêt ?

VALENTIN. Je ne sais ; qu'importe ? Ce n'est pas pour
5 nous.

CÉCILE. Venez là, où la lune éclaire ; là, où vous voyez ce rocher.

VALENTIN. Non, venez là où il fait sombre ; là, sous l'ombre de ces bouleaux. Il est possible qu'on vous cherche,
10 et il faut échapper aux yeux.

CÉCILE. Je ne verrais pas votre visage ; venez, Valentin, obéissez.

VALENTIN. Où tu voudras, charmante fille ; où tu iras, je te suivrai. Ne m'ôte pas cette main tremblante, laisse mes lèvres
15 la rassurer.

CÉCILE. Je n'ai pu venir plus vite. Y a-t-il longtemps que vous m'attendez ?

VALENTIN. Depuis que la lune est dans le ciel ; regarde cette lettre trempée de larmes ; c'est le billet que tu m'as
20 écrit.

CÉCILE. Menteur ! C'est le vent et la pluie qui ont pleuré sur ce papier.

---

1. **Masque :** jeune femme rusée ; dans une comédie*, personnage qui joue un double jeu.

▶ **SITUER**

Valentin et son oncle ont quitté l'auberge depuis la première scène. Van Buck a apprécié le chambertin et se montre plus conciliant.

▶ **RÉFLÉCHIR**

DRAMATURGIE : temps et espace

1. Combien de temps s'est déroulé entre la scène 1 et la scène 3 ? Quels éléments du dialogue permettent d'y répondre ?

2. Relevez les détails sur le lieu où se déroule la scène. Qu'en déduisez-vous ?

3. Étudiez les entrées et les sorties des personnages. En quoi le moment de l'action est-il essentiel dans ces mouvements successifs ?

4. Qu'apporte la présence des chansons de Van Buck dans cette scène ? À quel genre théâtral en vogue dans les années 1830 la présence de couplets fait-elle songer ?

5. Cette scène fait-elle avancer l'action dramatique ? Quelle est sa fonction ?

PERSONNAGES : la complicité retrouvée

6. Observez l'évolution du rapport entre les deux personnages. Comment peut-on expliquer leur nouvelle complicité ?

7. Van Buck apparaît bien plus allègre dans cette scène ? Valentin profite-t-il de la situation ?

8. Observez les exclamations dans les répliques de Valentin. Que traduisent-elles ?

9. Sous quel visage apparaît la baronne dans cette scène ?

REGISTRES ET TONALITÉS : toute la lyre

10. De quelle manière le registre lyrique* affleure-t-il dans cette scène ?

11. Le jugement de Valentin sur Cécile a changé. Comment expliquer ce nouveau point de vue ?

12. Relevez les expressions proverbiales et les maximes dans les répliques des personnages. Confrontez-les au titre du proverbe. Qu'en concluez-vous sur le sens de ce titre ?

▶ **ÉCRIRE**

13. Dans un paragraphe argumenté, vous montrerez pourquoi cette scène pourrait illustrer le titre du proverbe*.

VALENTIN. Non, ma Cécile, c'est la joie et l'amour, c'est le bonheur et le désir. Qui t'inquiète ? Pourquoi ces regards ?
25 que cherches-tu autour de toi ?

CÉCILE. C'est singulier ; je ne me reconnais pas ; où est votre oncle ? Je croyais le voir ici.

VALENTIN. Mon oncle est gris de chambertin ; ta mère est loin, et tout est tranquille. Ce lieu est celui que tu as choisi,
30 et que ta lettre m'indiquait.

CÉCILE. Votre oncle est gris ? Pourquoi, ce matin, se cachait-il dans la charmille ?

VALENTIN. Ce matin ? où donc ? que veux-tu dire ? Je me promenais seul dans le jardin.

35 **CÉCILE.** Ce matin, quand je vous ai parlé, votre oncle était derrière un arbre. Est-ce que vous ne le saviez pas ? Je l'ai vu en détournant l'allée.

VALENTIN. Il faut que tu te sois trompée ; je ne me suis aperçu de rien.

40 **CÉCILE.** Oh ! je l'ai bien vu ; il écartait les branches ; c'était peut-être pour nous épier.

VALENTIN. Quelle folie ! tu as fait un rêve. N'en parlons plus. Donne-moi un baiser.

CÉCILE. Oui, mon ami, et de tout mon cœur ; asseyez-
45 vous là près de moi. Pourquoi donc, dans votre lettre d'hier, avez-vous dit du mal de ma mère ?

VALENTIN. Pardonne-moi ; c'est un moment de délire, et je n'étais pas maître de moi.

CÉCILE. Elle m'a demandé cette lettre, et je n'osais la lui
50 montrer. Je savais ce qui allait arriver ; mais qui est-ce donc qui l'avait avertie ? Elle n'a pourtant rien pu deviner ; la lettre était là, dans ma poche.

VALENTIN. Pauvre enfant ! on t'a maltraitée ; c'est ta femme de chambre qui t'aura trahie. À qui se fier en pareil
55 cas ?

CÉCILE. Oh ! non ; ma femme de chambre est sûre ; il n'y avait que faire de lui donner de l'argent. Mais, en manquant de respect pour ma mère, vous deviez penser que vous en manquiez pour moi.

60 **VALENTIN.** N'en parlons plus, puisque tu me pardonnes. Ne gâtons pas un si précieux moment. Oh ! ma Cécile, que tu es belle, et quel bonheur repose en toi ! Par quels serments, par quels trésors puis-je payer tes douces caresses ? Ah ! la vie n'y suffirait pas. Viens sur mon cœur ; que le tien
65 le sente battre, et que ce beau ciel les emporte à Dieu !

CÉCILE. Oui, Valentin, mon cœur est sincère. Sentez mes cheveux comme ils sont doux ; j'ai de l'iris de ce côté-là, mais je n'ai pas pris le temps d'en mettre de l'autre. Pourquoi donc, pour venir chez nous, avez-vous caché votre nom ?

70 **VALENTIN.** Je ne puis le dire ; c'est un caprice, une gageure que j'avais faite.

CÉCILE. Une gageure ! Avec qui donc ?

VALENTIN. Je n'en sais plus rien. Qu'importent ces folies ?

CÉCILE. Avec votre oncle peut-être : n'est-ce pas ?

75 **VALENTIN.** Oui. Je t'aimais, et je voulais te connaître, et que personne ne fût entre nous.

CÉCILE. Vous avez raison. À votre place, j'aurais voulu faire comme vous.

VALENTIN. Pourquoi es-tu si curieuse, et à quoi bon toutes
80 ces questions ? Ne m'aimes-tu pas, ma belle Cécile ? Réponds-moi oui, et que tout soit oublié.

CÉCILE. Oui, cher, oui, Cécile vous aime, et elle voudrait être plus digne d'être aimée ; mais c'est assez qu'elle le soit pour vous. Mettez vos deux mains dans les miennes. Pourquoi
85 donc m'avez-vous refusé, quand je vous ai prié à dîner tantôt ?

VALENTIN. Je voulais partir : j'avais affaire ce soir.

CÉCILE. Pas grande affaire, ni bien loin, il me semble ; car vous êtes descendu au bout de l'avenue.

VALENTIN. Tu m'as vu ! Comment le sais-tu ?

90 **CÉCILE.** Oh ! je guettais. Pourquoi m'avez-vous dit que vous ne dansiez pas la mazourke ? Je vous l'ai vu danser l'autre hiver.

VALENTIN. Où donc ? Je ne m'en souviens pas.

CÉCILE. Chez madame de Gesvres, au bal déguisé.
95 Comment ne vous en souvenez-vous pas ? Vous me disiez dans votre lettre d'hier que vous m'aviez vue cet hiver ; c'était là.

VALENTIN. Tu as raison ; je m'en souviens. Regarde comme cette nuit est pure ! Comme ce vent soulève sur tes épaules cette gaze avare qui les entoure ! Prête l'oreille ;
100 c'est la voix de la nuit ; c'est le chant de l'oiseau qui invite au bonheur. Derrière cette roche élevée, nul regard ne peut nous découvrir. Tout dort, excepté ce qui s'aime. Laisse ma main écarter ce voile, et mes deux bras le remplacer.

CÉCILE. Oui, mon ami. Puissé-je vous sembler belle ! Mais
105 ne m'ôtez pas votre main ; je sens que mon cœur est dans la mienne, et qu'il va au vôtre par là. Pourquoi donc vouliez-vous partir, et faire semblant d'aller à Paris ?

VALENTIN. Il le fallait ; c'était pour mon oncle. Osais-je, d'ailleurs, prévoir que tu viendrais à ce rendez-vous ? Oh !
110 que je tremblais en écrivant cette lettre, et que j'ai souffert en t'attendant !

CÉCILE. Pourquoi ne serais-je pas venue, puisque je sais que vous m'épouserez ? *(Valentin se lève et fait quelques pas.)* Qu'avez-vous donc ? qui vous chagrine ? Venez vous rasseoir
115 près de moi.

VALENTIN. Ce n'est rien ; j'ai cru, – j'ai cru entendre, – j'ai cru voir quelqu'un de ce côté.

CÉCILE. Nous sommes seuls ; soyez sans crainte. Venez donc. Faut-il me lever ? Ai-je dit quelque chose qui vous ait
120 blessé ? Votre visage n'est plus le même. Est-ce parce j'ai gardé mon châle, quoique vous vouliez que je l'ôtasse ?

SITUER

Cécile et Valentin se retrouvent dans une clairière. Cécile joue franc-jeu, mais Valentin s'adresse à elle de façon inattendue.

RÉFLÉCHIR

DRAMATURGIE : romance au clair de lune

1. Cette « *clairière dans le bois* » vous semble-t-elle un lieu bien choisi pour la circonstance ?

2. Quel rôle joue la lune dans cette scène ? Lisez *La Ballade à la lune* de Musset et rapprochez les deux textes.

3. Pourquoi Cécile préfère-t-elle un lieu « où la lune éclaire » plutôt que « là où il fait sombre » ?

STRATÉGIES : des questions aux aveux

4. Comment peut-on expliquer les nombreuses questions que pose Cécile ?

5. Sur quoi ces questions portent-elles ? En quoi éclairent-elles son attitude des scènes précédentes ? Quel est l'effet produit sur Valentin ? sur le lecteur ?

6. Quel rôle Valentin tente-t-il de jouer auprès de la jeune fille ? Est-il crédible ?

REGISTRES ET TONALITÉS : le langage de l'amour

7. Précisez de quelle manière Musset introduit la poésie dans la conversation. Pourquoi cette langue intervient-elle à ce moment de l'intrigue ?

8. De quelle manière s'exprime l'emphase* lyrique* de Valentin ? Pourquoi ce lyrisme peut-il nous étonner ?

MISE EN SCÈNE : « Ainsi, la nuit... »

9. Quel sens symbolique s'attache à la tombée du jour ? Pourrait-on imaginer une scène nue et une atmosphère seulement reconstituée par des bruitages ou des éclairages ?

10. Vous avez été engagé par un metteur en scène pour réaliser la scénographie d'*Il ne faut jurer de rien*. Vous rédigez un projet de décors, d'éclairages et de costumes pour cette dernière scène.

C'est qu'il fait froid ; je suis en toilette de bal. Regardez
donc mes souliers de satin. Qu'est-ce que cette pauvre
Henriette va penser ? Mais qu'avez-vous ? Vous ne répondez
125 pas ; vous êtes triste. Qu'ai-je donc pu vous dire ? C'est par
ma faute, je le vois.

VALENTIN. Non, je vous le jure, vous vous trompez ; c'est
une pensée involontaire qui vient de me traverser l'esprit.

CÉCILE. Vous me disiez « tu » tout à l'heure, et même, je
130 crois, un peu légèrement. Quelle est donc cette mauvaise
pensée qui vous a frappé tout à coup ? Vous ai-je déplu ? Je
serais bien à plaindre. Il me semble pourtant que je n'ai rien
dit de mal. Mais si vous aimez mieux marcher, je ne veux pas
rester assise. *(Elle se lève.)* Donnez-moi le bras, et promenons-
135 nous. Savez-vous une chose ? Ce matin, je vous ai fait monter
dans votre chambre un bon bouillon qu'Henriette avait fait.
Quand je vous ai rencontré, je vous l'ai dit ; j'ai cru que vous
ne vouliez pas le prendre, et que cela vous déplaisait. J'ai
repassé trois fois dans l'allée ; m'avez-vous vue ? Alors vous
140 êtes monté. Je suis allée me mettre devant le parterre, et je
vous ai vu par votre croisée ; vous teniez la tasse à deux mains,
et vous avez bu tout d'un trait. Est-ce vrai ? L'avez-vous
trouvé bon ?

VALENTIN. Oui, chère enfant, le meilleur du monde, bon
145 comme ton cœur et comme toi.

CÉCILE. Ah ! quand nous serons mari et femme, je vous
soignerai mieux que cela. Mais dites-moi, qu'est-ce que cela
veut dire de s'aller jeter dans un fossé ? risquer de se tuer, et
pourquoi faire ? Vous saviez bien être reçu chez nous. Que
150 vous ayez voulu arriver tout seul, je le comprends ; mais à
quoi bon le reste ? Est-ce que vous aimez les romans ?

VALENTIN. Quelquefois ; allons donc nous rasseoir.
(Ils se rassoient.)

CÉCILE. Je vous avoue qu'ils ne me plaisent guère ; ceux
155 que j'ai lus ne signifient rien. Il me semble que ce ne sont que

des mensonges, et que tout s'y invente à plaisir. On n'y parle
que de séductions, de ruses, d'intrigues, de mille choses
impossibles[1]. Il n'y a que les sites qui m'en plaisent ; j'en
aime les paysages et non les tableaux[2]. Tenez, par exemple, ce
160 soir, quand j'ai reçu votre lettre et que j'ai vu qu'il s'agissait
d'un rendez-vous dans le bois, c'est vrai que j'ai cédé à une
envie d'y venir, qui tient bien un peu du roman. Mais c'est
que j'y ai trouvé aussi un peu de réel à mon avantage. Si ma
mère le sait, et elle le saura, vous comprenez qu'il faut qu'on
165 nous marie. Que votre oncle soit brouillé ou non avec
elle, il faudra bien se raccommoder. J'étais honteuse d'être
enfermée, et, au fait, pourquoi l'ai-je été ? L'abbé est venu,
j'ai fait la morte ; il m'a ouvert, et je me suis sauvée : voilà ma
ruse ; je vous la donne pour ce qu'elle vaut.

170 **VALENTIN**, *à part*. Suis-je un renard pris à son piège, ou un
fou qui revient à la raison ?

CÉCILE. Eh bien ! vous ne me répondez pas. Est-ce que
cette tristesse va durer toujours ?

VALENTIN. Vous me paraissez savante pour votre âge, et,
175 en même temps, aussi étourdie que moi, qui le suis comme
le premier coup de matines[3].

CÉCILE. Pour étourdie, j'en dois convenir ici ; mais mon
ami, c'est que je vous aime. Vous le dirai-je ? Je savais que
vous m'aimiez, et ce n'est pas d'hier que je m'en doutais. Je
180 ne vous ai vu que trois fois à ce bal ; mais j'ai du cœur, et je
m'en souviens. Vous avez valsé avec mademoiselle de
Gesvres, et en passant contre la porte, son épingle à
l'italienne a rencontré le panneau, et ses cheveux se sont
déroulés sur elle. Vous en souvenez-vous maintenant ?
185 Ingrat ! Le premier mot de votre lettre disait que vous vous

---

1. Cécile dénonce ici le caractère romanesque* de certains récits dont les
péripéties* sont invraisemblables.
2. **Tableau*** : ici, Cécile fait la distinction entre les scènes et les paysages.
3. **Matines** : le proverbe « étourdi comme le premier coup de matines »
rappelle que les moines, éveillés par les cloches de matines, sont encore
endormis quand débute leur journée.

en souveniez. Aussi comme le cœur m'a battu ! Tenez ;
croyez-moi, c'est là ce qui prouve qu'on aime, et c'est pour
cela que je suis ici.

VALENTIN, *à part.* Ou j'ai sous le bras le plus rusé démon
190 que l'enfer ait jamais vomi, ou la voix qui me parle est celle
d'un ange, et elle m'ouvre le chemin des cieux.

CÉCILE. Pour savante, c'est une autre affaire ; mais je veux
répondre, puisque vous ne dites rien. Voyons, savez-vous ce
que c'est que cela ?

195 **VALENTIN.** Quoi ? cette étoile à droite de cet arbre ?

CÉCILE. Non, celle-là qui se montre à peine, et qui brille
comme une larme.

VALENTIN. Vous avez lu madame de Staël[1] ?

CÉCILE. Oui, et le mot de larme me plaît, je ne sais pour-
200 quoi, comme les étoiles. Un beau ciel pur me donne envie
de pleurer.

VALENTIN. Et à moi envie de t'aimer, de te le dire, et de
vivre pour toi. Cécile, sais-tu à qui tu parles, et quel est
l'homme qui ose t'embrasser ?

205 **CÉCILE.** Dites-moi donc le nom de mon étoile. Vous n'en
êtes pas quitte à si bon marché.

VALENTIN. Eh bien ! c'est Vénus, l'astre de l'amour, la plus
belle perle de l'Océan des nuits.

CÉCILE. Non pas ; c'en est une plus chaste, et bien plus
210 digne de respect ; vous apprendrez à l'aimer un jour, quand
vous vivrez dans les métairies, et que vous aurez des pauvres
à vous ; admirez-la, et gardez-vous de sourire ; c'est Cérès[2],
déesse du pain.

---

1. **Madame de Staël :** Germaine Necker, baronne de Staël-Holstein,
écrivain français (1766-1817), a joué un rôle de premier plan dans la vie
politique et littéraire postrévolutionnaires. Dans ses deux romans,
Delphine (1802) et *Corinne ou l'Italie* (1807), elle dépeint des univers
exaltés et mélancoliques qui influencèrent le romantisme français.
2. **Cérès :** déesse de la Fertilité chez les Romains.

SITUER

Valentin et Cécile poursuivent leur découverte mutuelle... Quelques inquiétudes orientent le dialogue vers une réflexion plus profonde sur les sentiments.

RÉFLÉCHIR

STRATÉGIES : les inquiétudes de Cécile

1. Dans les deux tirades de Cécile (l. 129-143 et 154-169), que traduit l'accumulation de questions sans réponses ? Obtient-elle les éclaircissements qu'elle souhaite ? pourquoi ?

2. Quel sens donner à la didascalie* « *Elle se lève* » (l. 134) ? Que signifie ce mouvement ?

3. Que révèlent les apartés* de Valentin ? À qui s'adressent-ils ?

4. Quelles répliques montrent que Valentin prend conscience des réalités de l'amour ?

5. Par quels procédés Musset dramatise-t-il ce moment de la scène ?

THÈMES : faut-il lire les romans ?

6. Quel jugement Cécile porte-t-elle sur les romans ? Que leur reproche-t-elle ?

7. Les critiques qu'elle dresse contre le roman peuvent-elles s'appliquer à Valentin ?

8. Précisez le sens de « j'en aime les paysages et non les tableaux » (l. 159). Que révèle cette remarque sur les goûts de la jeune fille ?

9. Le comportement de Cécile depuis le début de l'acte est-il celui d'une jeune femme romanesque* ?

REGISTRES ET TONALITÉS : faire d'une étoile une larme

10. Pourquoi l'allusion à Mme de Staël oriente-t-elle la conversation vers une nouvelle direction ?

11. Quel sens symbolique revêt l'étoile évoquée par les amants ? Est-ce le même astre pour les deux ? Que représente-t-il pour Valentin ? pour Cécile ?

12. Comment interprétez-vous le parallèle entre la larme et l'étoile ?

DIRE

13. « Ah ! [...] Je vous la donne pour ce qu'elle vaut » (l. 146-169). Vous veillerez à varier les registres selon les sujets abordés par Cécile.

VALENTIN. Tendre enfant ! je devine ton cœur ; tu fais la
215 charité, n'est-ce pas ?

CÉCILE. C'est ma mère qui me l'a appris ; il n'y a pas de
meilleure femme au monde.

VALENTIN. Vraiment ? Je ne l'aurais pas cru.

CÉCILE. Ah ! mon ami, ni vous ni bien d'autres, vous ne
220 vous doutez de ce qu'elle vaut. Qui a vu ma mère un quart
d'heure croit la juger sur quelques mots au hasard. Elle passe
le jour à jouer aux cartes, et le soir à faire du tapis[1] ; elle ne
quitterait pas son piquet pour un prince ; mais que Dupré
vienne, et qu'il lui parle bas, vous la verrez se lever de table,
225 si c'est un mendiant qui attend. Que de fois nous sommes
allées ensemble, en robe de soie, comme je suis là, courir les
sentiers de la vallée, portant la soupe et le bouilli[2], des
souliers, du linge, à de pauvres gens ! Que de fois j'ai vu, à
l'église, les yeux des malheureux s'humecter de pleurs
230 lorsque ma mère les regardait ! Allez, elle a le droit d'être
fière, et je l'ai été d'elle quelquefois.

VALENTIN. Tu regardes toujours ta larme céleste ; et moi
aussi, mais dans tes yeux bleus.

CÉCILE. Que le ciel est grand ! Que ce monde est
235 heureux ! Que la nature est calme et bienfaisante !

VALENTIN. Veux-tu aussi que je te fasse de la science et que
je te parle astronomie ? Dis-moi, dans cette poussière de
mondes, y en a-t-il un qui ne sache sa route, qui n'ait reçu sa
mission avec la vie, et qui ne doive mourir en l'accomplis-
240 sant ? Pourquoi ce ciel immense n'est-il pas immobile ? Dis-
moi ; s'il y a jamais eu un moment où tout fut créé, en vertu
de quelle force ont-ils commencé à se mouvoir, ces mondes
qui ne s'arrêteront jamais ?

CÉCILE. Par l'éternelle pensée.

---

1. **Faire du tapis :** de la tapisserie. Activité des femmes de la bonne société.
2. **Bouilli :** viande bouillie qui sert à élaborer le bouillon (bouillon de bœuf,
bouillon de poule…).

245 VALENTIN. Par l'éternel amour. La main qui les suspend dans l'espace n'a écrit qu'un mot en lettres de feu. Ils vivent parce qu'ils se cherchent, et les soleils tomberaient en poussière, si l'un d'entre eux cessait d'aimer.

CÉCILE. Ah ! toute la vie est là.

250 VALENTIN. Oui, toute la vie, – depuis l'Océan qui se soulève sous les pâles baisers de Diane[1] jusqu'au scarabée qui s'endort jaloux dans sa fleur chérie. Demande aux forêts et aux pierres ce qu'elles diraient si elles pouvaient parler ? Elles ont l'amour dans le cœur et ne peuvent l'exprimer. Je
255 t'aime ! voilà ce que je sais, ma chère ; voilà ce que cette fleur te dira, elle qui choisit dans le sein de la terre les sucs qui doivent la nourrir ; elle qui écarte et repousse les éléments impurs qui pourraient ternir sa fraîcheur ! Elle sait qu'il faut qu'elle soit belle au jour, et qu'elle meure dans sa robe de
260 noce devant le soleil qui l'a créée. J'en sais moins qu'elle en astronomie ; donne-moi ta main, tu en sais plus en amour.

CÉCILE. J'espère, du moins, que ma robe de noce ne sera pas mortellement belle. Il me semble qu'on rôde autour de nous.

265 VALENTIN. Non, tout se tait. N'as-tu pas peur ? Es-tu venue ici sans trembler ?

CÉCILE. Pourquoi ? De quoi aurais-je peur ? Est-ce de vous ou de la nuit ?

VALENTIN. Pourquoi pas de moi ? Qui te rassure ? Je suis
270 jeune, tu es belle, et nous sommes seuls.

CÉCILE. Eh bien ! quel mal y a-t-il à cela ?

VALENTIN. C'est vrai, il n'y a aucun mal ; écoute-moi, et laisse-moi me mettre à genoux.

CÉCILE. Qu'avez-vous donc ? vous frissonnez.

275 VALENTIN. Je frissonne de crainte et de joie, car je vais t'ouvrir le fond de mon cœur. Je suis un fou de la plus

---

1. **Diane :** déesse de la Nuit, son astre est la lune.

méchante espèce, quoique, dans ce que je vais t'avouer, il n'y ait qu'à hausser les épaules. Je n'ai fait que jouer, boire et fumer depuis que j'ai mes dents de sagesse. Tu m'as dit que
280 les romans te choquent ; j'en ai beaucoup lu, et des plus mauvais. Il y en a un qu'on nomme *Clarisse Harlowe*[1] ; je te le donnerai à lire quand tu seras ma femme. Le héros aime une belle fille comme toi, ma chère, et il veut l'épouser ; mais auparavant il veut l'éprouver. Il l'enlève et l'emmène à
285 Londres ; après quoi, comme elle résiste, Bedfort arrive... c'est-à-dire Tomlinson, un capitaine... je veux dire Morden... non, je me trompe... Enfin, pour abréger... Lovelace est un sot, et moi aussi, d'avoir voulu suivre son exemple. Dieu soit loué ! tu ne m'as pas compris... Je
290 t'aime, je t'épouse, il n'y a de vrai au monde que de déraisonner d'amour. *(Entrent Van Buck, la baronne, l'abbé et plusieurs domestiques qui les éclairent.)*

LA BARONNE. Je ne crois pas un mot de ce que vous dites. Il est trop jeune pour une noirceur pareille.

295 VAN BUCK. Hélas ! madame, c'est la vérité.

LA BARONNE. Séduire ma fille ! tromper un enfant ! déshonorer une famille entière ! Chansons ! Je vous dis que c'est une sornette[2] ; on ne fait plus de ces choses-là. Tenez, les voilà qui s'embrassent. Bonsoir, mon gendre ; où diable
300 vous fourrez-vous ?

L'ABBÉ. Il est fâcheux que nos recherches soient couronnées d'un si tardif succès ; toute la compagnie va être partie.

VAN BUCK. Ah ça ! mon neveu, j'espère bien qu'avec votre sotte gageure...

305 VALENTIN. Mon oncle, il ne faut jurer de rien[3], et encore moins défier personne.

---

1. *Clarisse Harlowe* : voir note 2, p. 68.
2. **Sornette** : une fadaise, un mensonge. Le terme s'emploie plus volontiers au pluriel. Musset emploie ici un archaïsme séduisant.
3. Comme souvent dans le genre du proverbe*, le titre apparaît textuellement comme conclusion de la pièce.

■ SITUER

Le dénouement de la pièce est marqué par le changement complet d'attitude de Valentin et sa totale soumission à l'amour. L'arrivée inopinée du reste de la compagnie fait retomber l'idylle vers la comédie*.

■ RÉFLÉCHIR

REGISTRES ET TONALITÉS : un crescendo lyrique*

1. Relevez des métaphores* et des comparaisons*. Pourquoi sont-elles nombreuses dans ce passage ?

2. En quoi le cadre naturel de la déclaration favorise-t-il l'épanchement amoureux ?

3. Cécile dresse un portrait inattendu de sa mère ? Par quels procédés la tendresse filiale se manifeste-t-elle ? Quel est le registre qui domine ici ?

PERSONNAGES : un dandy* amoureux

4. De quelle façon la flamme de Valentin s'exprime-t-elle ?

5. L'aveu de Valentin fait-il écho aux critiques de Cécile contre le roman ?

6. En quoi l'agenouillement de Valentin relève-t-il du cliché ? Quelle est la signification de cette attitude ?

DRAMATURGIE : un heureux dénouement

7. Le dénouement respecte-t-il les conventions du proverbe* dramatique ?

8. Étudiez les réactions de chaque personnage à l'issue de la pièce. Que traduisent-elles ? Tout rentre-t-il dans l'ordre ?

9. Peut-on rapprocher le dénouement du proverbe de celui d'une comédie ? pourquoi ?

■ DIRE

10. « Je frissonne […] déraisonner d'amour » (l. 275-291). Proposez deux manières de dire ce passage.

11. Bien longtemps après, Valentin et Cécile se souviennent ce cette « folle journée » et des aveux dans la clairière. Inventez un dialogue entre les deux personnages qui fera intervenir différents registres (lyrique, comique…) et différents sentiments (joie, nostalgie, etc.).

REGISTRES ET TONALITÉS : les mystères de l'amour

1. Que pensez-vous de l'intrusion d'une longue scène d'amour dans la pièce ? Vous semble-t-elle décalée ou complémentaire à l'action ?

2. Dans quelle mesure la dernière scène révèle-t-elle l'idéalisme des personnages ?

3. À quel univers renvoient les métaphores* qui figurent dans les dialogues ?

4. Dans la version scénique, Musset a coupé toutes les références à Cérès et à Vénus ? Selon vous, que signifie ce choix ?

PERSONNAGES : le jeu d'à qui perd gagne !

5. De quelle manière Valentin se transforme-t-il en amoureux ? Quels détails des scènes précédentes préparent ce changement ?

6. La dernière scène comporte de nombreuses références à la littérature. Comment les interprétez-vous ?

7. Selon vous, pourquoi Valentin ne parvient-il pas à raconter l'histoire de *Clarisse Harlowe* ?

MISE EN SCÈNE : les symboles du désir

8. Bernard Masson constate que « Musset soigne le décor final pour la simple raison qu'il a le dernier mot et qu'il donne un sens à la comédie ». Partagez-vous ce point de vue ? En quoi le décor naturel de la dernière scène revêt-il une fonction symbolique ?

9. La « *clairière dans le bois* » renforce-t-elle le lyrisme* du dialogue ou bien l'atténue-t-elle ?

GENRES : proverbe* ou comédie* ?

10. La fin de la pièce renvoie-t-elle à l'esthétique de la comédie ou du proverbe ?

11. Selon vous, quel proverbe illustre le mieux la pièce de Musset : « Il n'y a de vrai au monde que de déraisonner d'amour » ou bien « Il ne faut jurer de rien » ? Justifiez votre réponse.

MISE EN SCÈNE : l'épreuve de la scène

1. Théophile Gautier déclare que « la scène d'amour sous les arbres est d'une sensibilité douce, d'une passion honnête et pure qui ravissent ». Comment pourrait-on représenter le sous-bois sur une scène ? Proposez plusieurs possibilités de réalisation.

2. Lorsque la pièce fut créée en 1848, Musset procéda à de nombreuses modifications et réduisit le nombre des décors. Que pensez-vous de ce choix ? Qu'apporte la multiplication des lieux dans l'économie du proverbe* ?

3. Si vous deviez mettre en scène *Il ne faut jurer de rien* en l'actualisant, quels objets, accessoires ou lieux de notre époque choisiriez-vous ?

PERSONNAGES : vers l'âge de raison ?

4. Le critique Gustave Lanson déclare : « Voyez l'oncle Van Buck, et la mère de Cécile, et l'abbé : ces gens-là ne sont pas compliqués, ils vivent. » De quelle manière Musset s'y prend-il pour insuffler la vie à ses personnages ?

5. Relevez les points communs entre Valentin et Musset. Quelle place faut-il accorder à l'autobiographie ?

6. Maurice Rat pense que c'est Cécile de Mantes qui fait le charme du proverbe. Que pensez-vous de cette affirmation ? Partagez-vous cet avis ? Pensez-vous comme ce critique que Cécile est « une droite et candide jeune fille » ? Justifiez vos réponses.

7. Pour ce qui concerne le devenir des personnages, la fin du proverbe est-elle ouverte ou fermée ? Justifiez votre réponse.

8. Quelle différence faites-vous entre « personnage de roman » et « personnage romanesque* » ? La pièce *Il ne faut jurer de rien* pourrait-elle être un roman ?

THÈMES : une époque sans nom

9. De quelle manière Musset mêle-t-il des données de son temps à d'autres de l'Ancien Régime ? Quels personnages renvoient au passé ? au présent ?

10. Frank Lestringant écrit : « *Il ne faut jurer de rien* échappe aux pesanteurs et au conformisme de l'époque. » Pensez-vous que Musset fasse preuve d'anticonformisme dans son proverbe ?

GENRES : les échos du proverbe

11. Selon vous, le lyrisme* des amants dans la dernière scène est-il sincère ou parodique* de la part de Musset ?

12. Comparez la dernière scène d'*On ne badine pas avec l'amour* à celle d'*Il ne faut jurer de rien*. Quelles similitudes et quelles différences observez-vous ? Le proverbe « On ne badine pas avec l'amour » pourrait-il s'appliquer à l'intrigue d'*Il ne faut jurer de rien* ?

DRAMATURGIE : un proverbe palpitant

13. Relisez la fin de chaque acte. Grâce à quel(s) procédé(s) Musset parvient-il à créer du rythme ?

14. Le critique Jules Janin évoque le caractère « décousu » du proverbe. Que pensez-vous de ce jugement ? S'applique-t-il à la dramaturgie* d'*Il ne faut jurer de rien* ?

15. Selon vous quelle est la fonction des scènes d'extérieur ? Qu'apportent-elles à l'ensemble du proverbe ?

16. Le proverbe de Musset a été écrit pour être lu. Dans quelle mesure s'agit-il avant tout d'un texte de théâtre fait pour être joué ?

Un caprice

MUSSET

Proverbe

LES PERSONNAGES

M. DE CHAVIGNY.
MATHILDE, *sa femme.*
MADAME DE LÉRY.
LE DOMESTIQUE.

La scène se passe dans la chambre à coucher de Mathilde.

Scène première.
Mathilde, le domestique.

Mathilde, *seule, travaillant au filet*[1]. Encore un point, et j'ai fini. *(Elle sonne ; un domestique entre.)* Est-on venu de chez Janisset[2] ?

Le domestique. Non, madame, pas encore.

5 **Mathilde.** C'est insupportable ; qu'on y retourne ; dépêchez-vous. *(Le domestique sort.)* J'aurais dû prendre les premiers glands[3] venus ; il est huit heures ; il est à sa toilette ; je suis sûre qu'il va venir ici avant que tout ne soit prêt. Ce sera encore un jour de retard. *(Elle se lève.)* Faire
10 une bourse en cachette à son mari, cela passerait aux yeux de bien des gens pour un peu plus que romanesque. Après un an de mariage ! Qu'est-ce que Mme de Léry, par exemple, en dirait si elle le savait ? Et lui-même, qu'en pensera-t-il ? Bon ! il rira peut-être du mystère, mais il ne
15 rira pas du cadeau. Pourquoi ce mystère, en effet ? Je ne sais ; il me semble que je n'aurais pas travaillé de si bon cœur devant lui ; cela aurait eu l'air de lui dire : « Voyez comme je pense à vous ! », cela ressemblerait à un reproche ; tandis qu'en lui montrant mon petit travail fini, ce sera lui
20 qui se dira que j'ai pensé à lui.

Le domestique, *rentrant.* On apporte cela à madame de chez le bijoutier. *(Il donne un petit paquet à Mathilde.)*

Mathilde. Enfin ! *(Elle se rassoit.)* Quand M. de Chavigny viendra, prévenez-moi. *(Le domestique sort.)* Nous allons
25 donc, ma chère petite bourse, vous faire votre dernière toilette. Voyons si vous serez coquette avec ces glands-là ? Pas mal. Comment serez-vous reçue, maintenant ? Direz-vous tout le plaisir qu'on a eu à vous faire, tout le soin qu'on a pris de votre petite personne ? On ne s'attend pas à vous,

---

1. **Filet :** manière de broder qui consiste à tisser entre eux des fils ornés de broderies.
2. **Janisset :** bijoutier et joaillier célèbre installé passage des Panoramas (actuel IIe arrondissement de Paris).
3. **Glands :** ornement de passementerie ayant la forme d'un gland.

30 Mlle. On n'a voulu vous montrer que dans tous vos atours[1].
Aurez-vous un baiser pour votre peine ? *(Elle baise sa bourse,
et s'arrête.)* Pauvre petite ! tu ne vaux pas grand-chose, on ne
te vendrait pas deux louis[2]. Comment se fait-il qu'il me
semble triste de me séparer de toi ? N'as-tu pas été commen-
35 cée pour être finie le plus vite possible ? Ah ! tu as été
commencée plus gaiement que je ne t'achève. Il n'y a
pourtant que quinze jours de cela ; que quinze jours, est-ce
possible ? Non, pas davantage, et que de choses en quinze
jours ! Arrivons-nous trop tard, petite ?... Pourquoi de telles
40 idées ? On vient, je crois ; c'est lui ; il m'aime encore.

UN DOMESTIQUE, *entrant.* Voilà M. le comte, madame.

MATHILDE. Ah ! mon Dieu ! je n'ai mis qu'un gland et j'ai
oublié l'autre. Sotte que je suis ! Je ne pourrai pas encore lui
donner aujourd'hui ! Qu'il attende un instant, une minute,
45 au salon ; vite, avant qu'il n'entre...

LE DOMESTIQUE. Le voilà, madame. *(Il sort. Mathilde
cache sa bourse.)*

---

1. **Atours** : éléments de la parure d'une femme. Ici la bourse est personnifiée.
2. **Louis** : ancienne monnaie d'or.

SITUER

Mathilde de Chavigny attend impatiemment son époux et se hâte de terminer une bourse rouge qu'elle veut lui offrir.

RÉFLÉCHIR

DRAMATURGIE : une scène d'exposition*

1. Par quels procédés Musset brosse-t-il une rapide exposition de l'intrigue ?

2. Où se déroule la scène ? Quel sens revêt le choix du lieu ?

3. Quelle est l'importance des didascalies* dans cette première scène ?

4. Un domestique fait plusieurs fois irruption. Quelle est sa fonction dramaturgique* ?

STRATÉGIES : les préparatifs

5. Pourquoi Mathilde confectionne-t-elle une bourse pour son époux ? Comment justifie-t-elle ce présent ?

6. Quelle valeur Mathilde accorde-t-elle à ce cadeau ?

7. Quelle signification symbolique le lecteur (ou spectateur) peut-il accorder à cette bourse ? À quoi sert cet objet ?

8. De quelle manière Musset joue-t-il avec le sens de l'objet ?

PERSONNAGES : bourse rouge, femme dévouée

9. Quels traits de caractère de Mathilde transparaissent dans cette scène ?

10. Quel sens peut-on donner à l'expression « un peu plus que romanesque* » ?

11. Par quel procédé Musset place-t-il la bourse au centre de cette scène ? Peut-on dire qu'il s'agit d'un autre personnage ?

12. Quels traits de caractère de Mme de Léry et de Chavigny se dessinent dans les allusions de Mathilde ?

STYLE : un monologue expressif

13. Étudiez la ponctuation dans les deux tirades de Mathilde. Quelle est son rôle dans le discours de la jeune femme ?

14. Relevez les éléments qui traduisent l'inquiétude de Mathilde. Qu'en concluez-vous ?

SCÈNE 2. MATHILDE, CHAVIGNY.

CHAVIGNY. Bonsoir, ma chère ; est-ce que je vous dérange ? *(Il s'assoit.)*

MATHILDE. Moi, Henri ! quelle question !

CHAVIGNY. Vous avez l'air troublé, préoccupé. J'oublie
5 toujours, quand j'entre chez vous, que je suis votre mari, et je pousse la porte trop vite.

MATHILDE. Il y a là un peu de méchanceté, mais comme il y a aussi un peu d'amour, je ne vous en embrasserai pas moins. *(Elle l'embrasse.)* Qu'est-ce que vous croyez donc être,
10 monsieur, quand vous oubliez que vous êtes mon mari ?

CHAVIGNY. Ton amant, ma belle ; est-ce que je me trompe ?

MATHILDE. Amant et ami, tu ne te trompes pas. *(À part.)* J'ai envie de lui donner la bourse comme elle est.

15 **CHAVIGNY.** Quelle robe as-tu donc ? Tu ne sors pas ?

MATHILDE. Non, je voulais… j'espérais que peut-être…

CHAVIGNY. Vous espériez ?… Qu'est-ce que c'est donc ?

MATHILDE. Tu vas au bal ? tu es superbe.

CHAVIGNY. Pas trop ; je ne sais si c'est ma faute ou celle du
20 tailleur, mais je n'ai plus ma tournure[1] du régiment.

MATHILDE. Inconstant ! vous ne pensez pas à moi, en vous mirant dans cette glace.

CHAVIGNY. Bah ! À qui donc ? Est-ce que je vais au bal pour danser ? Je vous jure bien que c'est une corvée, et que
25 je m'y traîne sans savoir pourquoi.

MATHILDE. Eh bien ! restez, je vous en supplie. Nous serons seuls, et je vous dirai…

CHAVIGNY. Il me semble que ta pendule avance ; il ne peut pas être si tard.

---

1. **Tournure :** allure, élégance. Ce détail nous apprend que Chavigny est plus âgé que Mathilde.

30 **MATHILDE.** On ne va pas au bal à cette heure-ci, quoi que puisse dire la pendule. Nous sortons de table il y a un instant.

CHAVIGNY. J'ai dit d'atteler[1] ; j'ai une visite à faire.

MATHILDE. Ah ! c'est différent. Je… je ne savais pas… j'avais cru…

35 **CHAVIGNY.** Eh bien ?

MATHILDE. J'avais supposé… d'après ce que tu disais… Mais la pendule va bien ; il n'est que huit heures. Accordez-moi un petit moment. J'ai une petite surprise à vous faire.

CHAVIGNY, *se levant.* Vous savez, ma chère, que je vous
40 laisse libre et que vous sortez quand il vous plaît. Vous trouverez juste que ce soit réciproque. Quelle surprise me destinez-vous ?

MATHILDE. Rien ; je n'ai pas dit ce mot-là, je crois.

CHAVIGNY. Je me trompe donc, j'avais cru l'entendre.
45 Avez-vous là ces valses de Strauss[2] ? Prêtez-les-moi, si vous n'en faites rien.

MATHILDE. Les voilà ; les voulez-vous maintenant ?

CHAVIGNY. Mais oui, si cela ne vous gêne pas. On me les a demandées pour un ou deux jours. Je ne vous en priverai pas
50 longtemps.

MATHILDE. Est-ce pour Mme de Blainville ?

CHAVIGNY, *prenant les valses.* Plaît-il ? Ne parlez-vous pas de Mme de Blainville ?

MATHILDE. Moi ! non. Je n'ai pas parlé d'elle.

55 **CHAVIGNY.** Pour cette fois, j'ai bien entendu. *(Il se rassoit.)* Qu'est-ce que vous dites de Mme de Blainville ?

MATHILDE. Je pensais que mes valses étaient pour elle.

---

1. Atteler : faire atteler les chevaux.
2. Strauss : il s'agit ici de Johann Strauss père (1804-1849), célèbre chef d'orchestre et compositeur viennois. C'est son fils, prénommé également Johann (1825-1899), qui composa le très célèbre *Beau Danube bleu*. La valse est une danse à la mode autour de 1830.

CHAVIGNY. Et pourquoi pensiez-vous cela ?

MATHILDE. Mais parce que… parce qu'elle les aime.

60 **CHAVIGNY.** Oui, et moi aussi ; et vous aussi, je crois ? Il y en a une surtout ; comment est-ce donc ? Je l'ai oubliée… Comment dit-elle donc ?

MATHILDE. Je ne sais pas si je m'en souviendrai. *(Elle se met au piano et joue.)*

65 **CHAVIGNY.** C'est cela même ! C'est charmant, divin, et vous la jouez comme un ange, ou, pour mieux dire, comme une vraie valseuse.

MATHILDE. Est-ce aussi bien qu'elle, Henri ?

CHAVIGNY. Qui, elle ? Mme de Blainville ? Vous y tenez, 70 à ce qu'il paraît.

MATHILDE. Oh ! pas beaucoup. Si j'étais homme, ce n'est pas elle qui me tournerait la tête.

CHAVIGNY. Et vous auriez raison, madame. Il ne faut jamais qu'un homme se laisse tourner la tête, ni par une 75 femme, ni par une valse.

MATHILDE. Comptez-vous jouer ce soir, mon ami ?

CHAVIGNY. Eh ! ma chère, quelle idée avez-vous ? On joue, mais on ne compte pas jouer.

MATHILDE. Avez-vous de l'or dans vos poches ?

80 **CHAVIGNY.** Peut-être bien. Est-ce que vous en voulez ?

MATHILDE. Moi, grand Dieu ! Que voulez-vous que j'en fasse ?

CHAVIGNY. Pourquoi pas ? Si j'ouvre votre porte trop vite, je n'ouvre pas du moins vos tiroirs, et c'est peut-être 85 un double tort que j'ai.

MATHILDE. Vous mentez, monsieur ; il n'y a pas long-temps que je me suis aperçue que vous les aviez ouverts, et vous me laissez beaucoup trop riche.

CHAVIGNY. Non pas, ma chère, tant qu'il y aura des

90 pauvres. Je sais quel usage vous faites de votre fortune, et je vous demande de me permettre de faire la charité par vos mains.

MATHILDE. Cher Henri ! que tu es noble et bon ! Dis-moi un peu. Te souviens-tu d'un jour où tu avais une petite dette
95 à payer, et où tu te plaignais de n'avoir pas de bourse ?

CHAVIGNY. Quand donc ? Ah ! c'est juste. Le fait est que, quand on sort, c'est une chose insupportable de se fier à des poches qui ne tiennent à rien…

MATHILDE. Aimerais-tu une bourse rouge avec un filet noir ?

100 **CHAVIGNY.** Non, je n'aime pas le rouge. Parbleu ! tu me fais penser que j'ai justement là une bourse toute neuve d'hier ; c'est un cadeau. Qu'en pensez-vous ? *(Il tire une bourse de sa poche.)* Est-ce de bon goût ?

MATHILDE. Voyons ; voulez-vous me la montrer ?

105 **CHAVIGNY.** Tenez. *(Il la lui donne ; elle la regarde, puis la lui rend.)*

MATHILDE. C'est très joli. De quelle couleur est-elle ?

CHAVIGNY, *riant.* De quelle couleur ? La question est excellente.

110 **MATHILDE.** Je me trompe… Je veux dire… Qui est-ce qui vous l'a donnée ?

CHAVIGNY. Ah ! c'est trop plaisant ! sur mon honneur ! vos distractions[1] sont adorables.

UN DOMESTIQUE, *annonçant.* Madame de Léry.

115 **MATHILDE.** J'ai défendu ma porte en bas.

CHAVIGNY. Non, non, qu'elle entre. Pourquoi ne pas la recevoir ?

MATHILDE. Eh bien ! enfin, monsieur, cette bourse, peut-on savoir le nom de l'auteur ?

---

1. **Distractions :** lapsus de Mathilde qui traduit son émoi.

Scène 3. Mathilde, Chavigny, Madame de Léry, *en toilette de bal.*

CHAVIGNY. Venez, madame, venez, je vous en prie ; on n'arrive pas plus à propos. Mathilde vient de me faire une étourderie qui, en vérité, vaut son pesant d'or. Figurez-vous que je lui montre cette bourse...

5 **MADAME DE LÉRY.** Tiens ! c'est assez gentil[1]. Voyons donc.

CHAVIGNY. Je lui montre cette bourse ; elle la regarde, la tâte, la retourne, et en me la rendant, savez-vous ce qu'elle me dit ? Elle me demande de quelle couleur elle est !

MADAME DE LÉRY. Eh bien ! elle est bleue.

10 **CHAVIGNY.** Eh, oui ! elle est bleue... C'est bien certain... et c'est précisément le plaisant de l'affaire... Imaginez-vous qu'on le demande ?

MADAME DE LÉRY. C'est parfait. Bonsoir, chère Mathilde ; venez-vous ce soir à l'ambassade[2] ?

15 **MATHILDE.** Non, je compte rester.

CHAVIGNY. Mais vous ne riez pas de mon histoire ?

MADAME DE LÉRY. Mais si. Et qu'est-ce qui a fait cette bourse ? Ah ! je la reconnais, c'est Mme de Blainville. Comment ! vraiment vous ne bougez pas ?

20 **CHAVIGNY,** *brusquement.* À quoi la reconnaissez-vous, s'il vous plaît ?

MADAME DE LÉRY. À ce qu'elle est bleue justement. Je l'ai vue traîner pendant des siècles, on a mis sept ans à la faire, et vous jugez si pendant ce temps-là elle a changé de desti-
25 nation. Elle a appartenu en idée à trois personnes de ma connaissance. C'est un trésor que vous avez là, monsieur de Chavigny ; c'est un vrai héritage que vous avez fait.

CHAVIGNY. On dirait qu'il n'y a qu'une bourse au monde.

---

1. **Gentil :** joli, agréable à regarder.
2. **L'ambassade :** les ambassades sont des lieux de réception très prisés des hautes classes sociales de la monarchie de Juillet.

MADAME DE LÉRY. Non, mais il n'y a qu'une bourse
30 bleue. D'abord, moi, le bleu m'est odieux ; ça ne veut rien
dire, c'est une couleur bête. Je ne peux pas me tromper sur
une chose pareille ; il suffit que je l'aie vue une fois. Autant
j'adore le lilas, autant je déteste le bleu.

MATHILDE. C'est la couleur de la constance.

35 **MADAME DE LÉRY.** Bah ! c'est la couleur des perruquiers[1].
Je ne viens qu'en passant, vous voyez, je suis en grand
uniforme[2] ; il faut arriver de bonne heure dans ce pays-là ;
c'est une cohue à se casser le cou. Pourquoi donc ne venez-
vous pas ? Je n'y manquerais pas pour un monde.

40 **MATHILDE.** Je n'y ai pas pensé, et il est trop tard à présent.

MADAME DE LÉRY. Laissez donc, vous avez tout le temps.
Tenez, chère, je vais sonner. Demandez une robe. Nous
mettrons M. de Chavigny à la porte avec son petit meuble[3].
Je vous coiffe, je vous pose deux brins de fleurettes, et je
45 vous enlève dans ma voiture. Allons, voilà une affaire bâclée[4].

MATHILDE. Pas pour ce soir ; je reste décidément.

MADAME DE LÉRY. Décidément ! est-ce un parti pris ?
Monsieur de Chavigny, amenez donc Mathilde.

CHAVIGNY, *sèchement.* Je ne me mêle des affaires de personne.

50 **MADAME DE LÉRY.** Oh ! oh ! vous aimez le bleu, à ce qu'il
paraît. Eh bien ! écoutez ; savez-vous ce que je vais faire ?
Donnez-moi du thé, je vais rester ici.

MATHILDE. Que vous êtes gentille, chère Ernestine ! Non,
je ne veux pas priver ce bal de sa reine. Allez me faire un tour
55 de valse, et revenez à onze heures, si vous y pensez ; nous
causerons seules au coin du feu, puisque M. de Chavigny
nous abandonne.

---

1. **Perruquiers :** les coiffeurs et perruquiers avaient pour patron Saint
Louis, dont la couleur est le bleu.
2. **Uniforme :** ici, au sens de tenue de soirée.
3. **Meuble :** emploi vieilli ; l'expression légèrement dépréciative désigne la
bourse avec ironie.
4. **Bâclée :** rapidement achevée.

CHAVIGNY. Moi ! pas du tout ; je ne sais si je sortirai.

MADAME DE LÉRY. Eh bien ! c'est convenu, je vous quitte.
60 À propos, vous savez mes malheurs ; j'ai été volée comme dans un bois.

MATHILDE. Volée ! qu'est-ce que vous voulez dire ?

MADAME DE LÉRY. Quatre robes, ma chère, quatre amours de robes qui me venaient de Londres, perdues à la
65 douane. Si vous les aviez vues, c'est à en pleurer ; il y en avait une perse[1] et une puce[2] : on ne fera jamais rien de pareil.

MATHILDE. Je vous plains bien sincèrement. On vous les a donc confisquées ?

MADAME DE LÉRY. Pas du tout. Si ce n'était que cela, je
70 crierais tant qu'on me les rendrait, car c'est un meurtre. Me voilà nue pour cet été. Imaginez qu'ils m'ont lardé[3] mes robes ; ils ont fourré leur sonde je ne sais par où dans ma caisse ; ils m'ont fait des trous à y mettre un doigt. Voilà ce qu'on m'apporte hier à déjeuner.

75 **CHAVIGNY.** Il n'y en avait pas de bleue, par hasard ?

MADAME DE LÉRY. Non, monsieur, pas la moindre. Adieu, belle ; je ne fais qu'une apparition. J'en suis, je crois, à ma douzième grippe de l'hiver ; je vais attraper ma treizième. Aussitôt fait, j'accours, et me plonge dans vos fauteuils.
80 Nous causerons douane, chiffons, pas vrai ? Non, je suis toute triste, nous ferons du sentiment. Enfin, n'importe ! Bonsoir, monsieur de l'azur… Si vous me reconduisez, je ne reviens pas. *(Elle sort.)*

---

1. **Perse :** de couleur bleue.
2. **Puce :** brun-rouge assez foncé.
3. **Lardé :** transpercé à plusieurs reprises.

SCÈNE 4. CHAVIGNY, MATHILDE.

CHAVIGNY. Quel cerveau fêlé que cette femme ! Vous choisissez bien vos amies.

MATHILDE. C'est vous qui avez voulu qu'elle montât.

CHAVIGNY. Je parierais que vous croyez que c'est Mme
5 de Blainville qui a fait ma bourse.

MATHILDE. Non, puisque vous me dites le contraire.

CHAVIGNY. Je suis sûr que vous le croyez.

MATHILDE. Et pourquoi en êtes-vous sûr ?

CHAVIGNY. Parce que je connais votre caractère. Mme
10 de Léry est votre oracle[1] ; c'est une idée qui n'a pas le sens commun.

MATHILDE. Voilà un beau compliment que je ne mérite guère.

CHAVIGNY. Oh ! mon Dieu, si ; et j'aimerais tout autant
15 vous voir franche là-dessus que dissimulée.

MATHILDE. Mais si je ne le crois pas, je ne puis feindre de le croire pour vous paraître sincère.

CHAVIGNY. Je vous dis que vous le croyez ; c'est écrit sur votre visage.

20 **MATHILDE.** S'il faut le dire pour vous satisfaire, eh bien ! j'y consens ; je le crois.

CHAVIGNY. Vous le croyez ? Et quand cela serait vrai, quel mal y aurait-il ?

MATHILDE. Aucun, et par cette raison je ne vois pas pour-
25 quoi vous le nieriez.

CHAVIGNY. Je ne le nie pas ; c'est elle qui l'a faite. *(Il se lève.)*

Bonsoir ; je reviendrai peut-être tout à l'heure prendre le thé avec votre amie.

---

1. **Oracle :** personne qui parle avec autorité et qui est écoutée dans les propos qu'elle tient. Ici, l'emploi est péjoratif de la part de Chavigny.

MATHILDE. Henri, ne me quittez pas ainsi !

30 **CHAVIGNY.** Qu'appelez-vous *ainsi* ? Sommes-nous fâchés ? Je ne vois là rien que de très simple ; on me fait une bourse, et je la porte ; vous demandez qui, et je vous le dis. Rien ne ressemble moins à une querelle.

MATHILDE. Et si je vous demandais cette bourse, m'en 35 feriez-vous le sacrifice ?

CHAVIGNY. Peut-être ; à quoi vous servirait-elle ?

MATHILDE. Il n'importe ; je vous la demande.

CHAVIGNY. Ce n'est pas pour la porter, je suppose ; je veux savoir ce que vous en feriez.

40 **MATHILDE.** C'est pour la porter.

CHAVIGNY. Quelle plaisanterie ! Vous porterez une bourse faite par Mme de Blainville ?

MATHILDE. Pourquoi non ? Vous la portez bien.

CHAVIGNY. La belle raison ! Je ne suis pas femme.

45 **MATHILDE.** Eh bien ! si je ne m'en sers pas, je la jetterai au feu.

CHAVIGNY. Ah ! ah ! vous voilà donc enfin sincère. Eh bien ! très sincèrement aussi, je la garderai, si vous permettez.

MATHILDE. Vous en êtes libre, assurément ; mais je vous 50 avoue qu'il m'est cruel de penser que tout le monde sait qui vous l'a faite, et que vous allez la montrer partout.

CHAVIGNY. La montrer ! Ne dirait-on pas que c'est un trophée[1] ?

MATHILDE. Écoutez-moi, je vous en prie, et laissez-moi 55 votre main dans les miennes. *(Elle l'embrasse.)*

M'aimez-vous, Henri ? Répondez.

CHAVIGNY. Je vous aime, et je vous écoute.

----

1. **Trophée :** objet qui témoigne d'une victoire.

▄ SITUER

Henri de Chavigny fait son entrée en scène. Le conflit se noue autour d'une bourse qu'une autre femme lui a offerte.

▄ RÉFLÉCHIR

STRATÉGIES : une scène de ménage

1. Sur quel ton Chavigny s'adresse-t-il à son épouse ? Se parlent-ils de la même manière tous les deux ?

2. Étudiez les différents substantifs (et pronoms) employés par Chavigny pour désigner Mathilde. Qu'en déduisez-vous ?

3. Chavigny répond-il aux questions de Mathilde ? Qu'en pensez-vous ?

4. Combien de légères déceptions Mathilde essuie-t-elle ? Dans quelle mesure structurent-elles la progression de la scène ?

5. À quel moment de l'échange survient Mme de Léry ? Que pensez-vous de ce choix ?

6. De quelle manière Musset introduit-il le personnage absent de Mme de Blainville ?

PERSONNAGES : la femme blessée

7. Quels aspects de la personnalité de Mathilde se révèlent dans cette scène ?

8. Quels détails nous montrent que Mathilde est plus jeune qu'Henri ?

9. Mathilde laisse-t-elle exploser sa jalousie ? Que marque sa retenue ?

10. Comment peut-on interpréter le lapsus de Mathilde à propos de la couleur de la bourse ?

11. Pourquoi son agenouillement constitue-t-il une humiliation ?

SOCIÉTÉ : le charme discret de l'aristocratie

12. Par quels détails ou allusions Musset inscrit-il son proverbe* dans son époque ?

13. À quelles activités Chavigny s'adonne-t-il ? En quoi nous renseignent-elles sur sa manière de vivre ?

14. Quels détails nous informent de la vie quotidienne des Chavigny ?

15. Quels éléments nous montrent que les deux époux ont reçu une « bonne éducation » ?

MATHILDE. Je vous jure que je ne suis pas jalouse ; mais si vous me donnez cette bourse de bonne amitié, je vous
60 remercierai de tout mon cœur. C'est un petit échange que je vous propose, et je crois, j'espère du moins, que vous ne trouverez pas que vous y perdez.

CHAVIGNY. Voyons votre échange ; qu'est-ce que c'est ?

MATHILDE. Je vais vous le dire, si vous y tenez. Mais si
65 vous me donniez la bourse auparavant, sur parole, vous me rendriez bien heureuse.

CHAVIGNY. Je ne donne rien sur parole.

MATHILDE. Voyons, Henri, je vous en prie.

CHAVIGNY. Non.

70 **MATHILDE.** Eh bien ! je t'en supplie à genoux.

CHAVIGNY. Levez-vous, Mathilde, je vous en conjure à mon tour ; vous savez que je n'aime pas ces manières-là. Je ne peux pas souffrir qu'on s'abaisse, et je le comprends moins ici que jamais. C'est trop insister sur un enfantillage ;
75 si vous l'exigiez sérieusement, je jetterais cette bourse au feu moi-même, et je n'aurais que faire d'échange pour cela. Allons, levez-vous, et n'en parlons plus. Adieu ; à ce soir ; je reviendrai. *(Il sort.)*

SCÈNE 5. MATHILDE, *seule.*

Puisque ce n'est pas celle-là, ce sera donc l'autre que je brûlerai. *(Elle va à son secrétaire, et en tire la bourse qu'elle a faite.)*

Pauvre petite, je te baisais tout à l'heure, et te souviens-tu
5 de ce que je te disais ? Nous arrivons trop tard, tu le vois. Il ne veut pas de toi, et ne veut plus de moi. *(Elle s'approche de la cheminée.)* Qu'on est folle de faire des rêves ! Ils ne se réalisent jamais. Pourquoi cet attrait, ce charme invincible qui nous fait caresser une idée ? Pourquoi tant de plaisir à la
10 suivre, à l'exécuter en secret ? À quoi bon tout cela ? À pleurer ensuite. Que demande donc l'impitoyable hasard ? Quelles précautions, quelles prières faut-il donc pour mener à bien le souhait le plus simple, la plus chétive espérance ! Vous avez bien dit, M. le comte, j'insiste sur un enfantillage,
15 mais il m'était doux d'y insister ; et vous, si fier ou si infidèle, il ne vous eût pas coûté beaucoup de vous prêter à cet enfantillage. Ah ! il ne m'aime plus, il ne m'aime plus. Il vous aime, Mme de Blainville ! *(Elle pleure.)* Allons ! il n'y faut plus penser. Jetons au feu ce hochet d'enfant qui n'a
20 pas su arriver assez vite ; si je le lui avais donné ce soir, il l'aurait peut-être perdu demain. Ah ! sans nul doute, il l'aurait fait ; il laisserait ma bourse traîner sur sa table, je ne sais où, dans ses rebuts[1], tandis que l'autre le suivra partout, tandis qu'en jouant à l'heure qu'il est, il la tire avec orgueil ;
25 je le vois l'étaler sur le tapis, et faire résonner l'or qu'elle renferme. Malheureuse ! je suis jalouse ; il me manquait cela pour me faire haïr ! *(Elle va jeter sa bourse au feu, et s'arrête.)* Mais qu'as-tu fait ? Pourquoi te détruire, triste ouvrage de mes mains ? Il n'y a pas de ta faute ; tu attendais,
30 tu espérais aussi ! Tes fraîches couleurs n'ont point pâli durant cet entretien cruel ; tu me plais, je sens que je t'aime ; dans ce petit réseau[2] fragile, il y a quinze jours de ma vie ; ah ! non, non, la main qui t'a faite ne te tuera pas ;

---

1. **Rebuts :** vieilleries, objets usés dont on ne se sert plus.
2. **Réseau :** désigne ici l'ouvrage de broderie à mailles larges.

je veux te conserver, je veux t'achever ; tu seras pour moi
35 une relique[1], et je te porterai sur mon cœur ; tu m'y feras en
même temps du bien et du mal ; tu me rappelleras mon
amour pour lui, son oubli, ses caprices, et qui sait ? cachée à
cette place, il reviendra peut-être t'y chercher. *(Elle s'assoit
et attache le gland qui manquait.)*

---

1. **Relique :** terme religieux. Désigne métaphoriquement un objet que l'on garde précieusement pour le souvenir qu'il évoque.

SITUER

Chavigny est parti pour le bal sans remettre à Mathilde la bourse qu'elle exigeait. Elle se retrouve seule et se lamente.

RÉFLÉCHIR

DRAMATURGIE : la force du monologue

1. Le monologue de Mathilde se situe au centre du proverbe. Pourquoi Musset lui donne-t-il cette place ?

2. Observez les tirades de la scène 1. Quelles différences pouvez-vous observer entre elles et le monologue de la scène 5 ?

3. Étudiez les didascalies* présentes dans le monologue. Que nous apprennent-elles ? Dans quelle mesure participent-elles de la dramatisation de la scène ?

4. À nouveau Mathilde s'adresse à la bourse comme s'il s'agissait d'un être vivant. Cette personnification a-t-elle le même sens qu'à la scène 1 ?

5. Quels sentiments et quelles émotions s'expriment dans le dialogue entre Mathilde et la bourse ?

6. Étudiez les différentes formes de phrases qui structurent le monologue. Qu'en déduisez-vous ?

7. Quel est le ton du monologue ? Que traduit-il ?

THÈMES : objet de désir, objet de souffrance

8. Quelles sont les différentes valeurs que Mathilde attribue à sa bourse ?

9. À quel champ lexical appartient le terme « relique » employé par Mathilde ? Quelle est la signification de cette image dans le contexte ?

10. Pour la première fois, le terme « caprices » (l. 37) est employé dans le proverbe*. Que signifie-t-il ? Pourquoi Musset choisit-il un pluriel ? Au singulier, ce terme aurait-il le même sens ?

ÉCRIRE

11. La femme de chambre de Mathilde a surpris sa maîtresse dans son chagrin. Écrivez un monologue en vers ou en prose dans lequel la domestique fait le récit du dépit de la jeune femme. Vous utiliserez les registres présents dans la scène 5.

Scène 6. Mathilde, Madame de Léry.

Madame de Léry, *derrière la scène.* Personne nulle part ! qu'est-ce que ça veut dire ? on entre ici comme dans un moulin. *(Elle ouvre la porte et crie en riant :)* Madame de Léry. *(Elle entre. Mathilde se lève.)* Rebonsoir, chère ; pas de
5 domestique chez vous ; je cours partout pour trouver quelqu'un. Ah ! je suis rompue[1] ! *(Elle s'assoit.)*

Mathilde. Débarrassez-vous de vos fourrures.

Madame de Léry. Tout à l'heure ; je suis gelée. Aimez-vous ce renard-là[2] ? on dit que c'est de la martre[3] d'Éthio-
10 pie, je ne sais quoi ; c'est M. de Léry qui me l'a apporté de Hollande. Moi, je trouve ça laid, franchement ; je le porterai trois fois, par politesse, et puis je le donnerai à Ursule.

Mathilde. Une femme de chambre ne peut pas mettre cela.

Madame de Léry. C'est vrai, je m'en ferai un petit tapis.

15 **Mathilde.** Eh bien ! ce bal était-il beau ?

Madame de Léry. Ah ! mon Dieu ! ce bal ; mais je n'en viens pas. Vous ne croiriez jamais ce qui m'arrive.

Mathilde. Vous n'y êtes donc pas allée ?

Madame de Léry. Si fait, j'y suis allée ; mais je n'y suis
20 pas entrée. C'est à mourir de rire. Figurez-vous une queue… une queue… *(Elle éclate de rire.)* Ces choses-là vous font-elles peur, à vous ?

Mathilde. Mais, oui ; je n'aime pas les embarras de voitures.

25 **Madame de Léry.** C'est désolant quand on est seule. J'avais beau crier au cocher d'avancer, il ne bougeait pas ; j'étais d'une colère ! j'avais envie de monter sur le siège[4] ;

---

1. **Rompue :** épuisée, harassée.
2. **Renard :** par extension, fourrure.
3. **Martre :** petit rongeur brun au museau pointu.
4. **Siège :** là où se trouve le cocher. Dans la bonne société, il est inconvenant qu'une dame conduise elle-même un fiacre ou un carrosse.

je vous réponds bien que j'aurais coupé leur queue. Mais c'est si bête d'être là, en toilette, vis-à-vis d'un carreau[1]
30 mouillé ; car, avec cela, il pleut à verse. Je me suis divertie une demi-heure à voir patauger les passants et puis j'ai dit de retourner. Voilà mon bal. Ce feu me fait un plaisir ! je me sens renaître ! *(Elle ôte sa fourrure. Mathilde sonne, et un domestique entre.)*

35 **MATHILDE.** Le thé.

Le domestique sort.

MADAME DE LÉRY. M. de Chavigny est donc parti ?

MATHILDE. Oui ; je pense qu'il va à ce bal, et il sera plus obstiné que vous.

40 **MADAME DE LÉRY.** Je crois qu'il ne m'aime guère, soit dit entre nous.

MATHILDE. Vous vous trompez, je vous assure ; il m'a dit cent fois qu'à ses yeux vous étiez une des plus jolies femmes de Paris.

45 **MADAME DE LÉRY.** Vraiment ? c'est très poli de sa part ; mais je le mérite, car je le trouve fort bien. Voulez-vous me prêter une épingle ?

MATHILDE. Vous en avez à côté de vous.

MADAME DE LÉRY. Cette Palmire[2] vous fait des robes, on
50 ne se sent pas des épaules, on croit toujours que tout va tomber. Est-ce elle qui vous fait ces manches-là ?

MATHILDE. Oui.

MADAME DE LÉRY. Très jolies, très bien, très jolies. Décidément, il n'y a que les manches plates[3], mais j'ai été
55 longtemps à m'y faire ; et puis je trouve qu'il ne faut pas être trop grasse pour les porter, parce que sans cela on a l'air d'une cigale, avec un gros corps et de petites pattes.

---

1. **Carreau** : vitre.
2. **Palmire** : célèbre couturière.
3. **Manches plates** : manches resserrées, par opposition aux manches bouffantes.

MATHILDE. J'aime assez la comparaison.

On apporte le thé.

60 **MADAME DE LÉRY.** N'est-ce pas ? Regardez Melle Saint-Ange. Il ne faut pourtant pas être trop maigre non plus, parce qu'alors il ne reste plus rien. On se récrie sur la marquise d'Ermont ; moi, je trouve qu'elle a l'air d'une potence. C'est une belle tête, si vous voulez ; mais c'est 65 une madone[1] au bout d'un bâton.

MATHILDE, *riant.* Voulez-vous que je vous serve, ma chère ?

MADAME DE LÉRY. Rien que de l'eau chaude, avec un soupçon de thé et un nuage de lait.

MATHILDE, *versant le thé.* Allez-vous demain chez Mme 70 d'Égly ? Je vous prendrai si vous voulez.

MADAME DE LÉRY. Ah ! Mme d'Égly ! en voilà une autre ! avec sa frisure et ses jambes, elle me fait l'effet de ces grands balais pour épousseter les araignées. *(Elle boit.)* Mais, certainement, j'irai demain. Non, je ne peux pas ; je 75 vais au concert.

MATHILDE. Il est vrai qu'elle est un peu drôle.

MADAME DE LÉRY. Regardez-moi donc, je vous en prie.

MATHILDE. Pourquoi ?

MADAME DE LÉRY. Regardez-moi en face, là, franche-80 ment.

MATHILDE. Que me trouvez-vous d'extraordinaire ?

MADAME DE LÉRY. Eh ! certainement, vous avez les yeux rouges ; vous venez de pleurer, c'est clair comme le jour. Qu'est-ce qui se passe donc, ma chère Mathilde ?

85 **MATHILDE.** Rien, je vous jure. Que voulez-vous qu'il se passe ?

MADAME DE LÉRY. Je n'en sais rien, mais vous venez de pleurer ; je vous dérange, je m'en vais.

---

1. **Madone :** la Vierge. Ici, désigne un joli visage sur un corps trop mince.

■ **SITUER**

Mme de Léry revient plus tôt que prévu du bal : elle surprend Mathilde dans son désarroi.

■ **RÉFLÉCHIR**

PERSONNAGES : portraits de femmes

1. Observez la structure des répliques de Mme de Léry et de Mathilde. Par quels procédés d'écriture Musset met-il en lumière la différence de tempérament des deux femmes ?

2. Observez les didascalies* qui accompagnent les répliques de Mme de Léry : que traduisent-elles ? Dans quelle mesure ces indications sont-elles précieuses pour un metteur en scène ou une comédienne ?

3. Quels éléments (lexicaux et thématiques) employés par Mme de Léry rendent son récit amusant et cocasse ?

4. Étudiez les éléments qui montrent l'appartenance aristocratique de Mme de Léry ? Musset les traite-t-il sur un mode sérieux ?

5. Quelles répliques traduisent la perspicacité de Mme de Léry ? Comment justifie-t-elle sa lucidité ?

STRATÉGIES : confidences au coin du feu

6. Étudiez les différents portraits de femmes croqués par Mme de Léry. Pourquoi font-ils sourire ?

7. De quelle manière s'opère le brutal changement de ton entre la scène 5 et la scène 6 ?

8. Étudiez la manière dont Musset crée une ambiance propice à la confidence. Quels éléments favorisent le caractère conversationnel de l'échange entre Mme de Léry et Mathilde.

■ **DIRE**

9. Lisez la scène, du début à « il est vrai qu'elle est un peu drôle » (l. 76). Vous préparerez une lecture dynamique permettant de souligner l'humour de ce dialogue.

■ **ÉCRIRE**

10. À la manière de Mme de Léry, vous procéderez à quelques descriptions brèves de personnes connues. Vous utiliserez pour cela la métaphore* ou la comparaison*.

MATHILDE. Au contraire, chère ; je vous supplie de rester.

90 **MADAME DE LÉRY.** Est-ce bien franc ? je reste, si vous voulez ; mais vous me direz vos peines. *(Mathilde secoue la tête.)* Non ? Alors je m'en vais, car vous comprenez que du moment que je ne suis bonne à rien, je ne peux que nuire involontairement.

95 **MATHILDE.** Restez, votre présence m'est précieuse, votre esprit m'amuse, et s'il était vrai que j'eusse quelque souci, votre gaieté le chasserait.

MADAME DE LÉRY. Tenez, je vous aime. Vous me croyez peut-être légère ; personne n'est si sérieux que moi pour 100 les choses sérieuses. Je ne comprends pas qu'on joue avec le cœur, et c'est pour cela que j'ai l'air d'en manquer. Je sais ce que c'est que de souffrir, on me l'a appris bien jeune encore. Je sais aussi ce que c'est que de dire ses chagrins. Si ce qui vous afflige peut se confier, parlez hardiment ; ce 105 n'est pas la curiosité qui me pousse.

MATHILDE. Je vous crois bonne et surtout très sincère ; mais dispensez-moi de vous obéir.

MADAME DE LÉRY. Ah ! mon Dieu, j'y suis ! c'est la bourse bleue. J'ai fait une sottise affreuse en nommant 110 Mme de Blainville. J'y ai pensé en vous quittant ; est-ce que M. de Chavigny lui fait la cour ?

Mathilde se lève, ne pouvant répondre, se détourne, et porte son mouchoir à ses yeux.

MADAME DE LÉRY. Est-il possible ?

115 *Un long silence. Mathilde se promène quelque temps, puis va s'asseoir à l'autre bout de la chambre. Mme de Léry semble réfléchir. Elle se lève, et s'approche de Mathilde ; celle-ci lui tend la main.*

MADAME DE LÉRY. Vous savez, ma chère, que les dentistes 120 vous disent de crier, quand ils vous font mal. Moi, je vous dis : Pleurez ! pleurez ! Douces ou amères, les larmes soulagent toujours.

MATHILDE. Ah ! mon Dieu !

MADAME DE LÉRY. Mais, c'est incroyable, une chose
125 pareille ! On ne peut pas aimer Mme de Blainville ; c'est
une coquette[1] à moitié perdue, qui n'a ni esprit ni beauté.
Elle ne vaut pas votre petit doigt ; on ne quitte pas un ange
pour un diable.

MATHILDE, *sanglotant.* Je suis sûre qu'il l'aime, j'en suis
130 sûre.

MADAME DE LÉRY. Non, mon enfant, ça ne se peut pas ;
c'est un caprice, une fantaisie. Je connais M. de Chavigny
plus qu'il ne pense ; il est méchant, mais il n'est pas mauvais.
Il aura agi par boutade[2] ; avez-vous pleuré devant lui ?

135 **MATHILDE.** Oh ! non, jamais !

MADAME DE LÉRY. Vous avez bien fait ; il ne m'étonne-
rait pas qu'il en fût bien aise.

MATHILDE. Bien aise ? bien aise de me voir pleurer ?

MADAME DE LÉRY. Eh ! mon Dieu ! oui, j'ai vingt-cinq
140 ans d'hier, mais je sais ce qui en est sur bien des choses.
Comment tout cela est-il venu ?

MATHILDE. Mais… je ne sais…

MADAME DE LÉRY. Parlez. Avez-vous peur de moi ? je
vais vous rassurer tout de suite ; si pour vous mettre à votre
145 aise, il faut m'engager de mon côté, je vais vous prouver
que j'ai confiance en vous et vous forcer à l'avoir en moi ;
est-ce nécessaire ? je le ferai. Qu'est-ce qu'il vous plaît de
savoir sur mon compte ?

MATHILDE. Vous êtes ma meilleure amie ; je vous dirai
150 tout, je me fie à vous. Il ne s'agit de rien de bien grave ; mais
j'ai une folle tête qui m'entraîne. J'avais fait à M. de Chavigny une petite bourse en cachette que je comptais lui offrir
aujourd'hui ; depuis quinze jours je le vois à peine ; il passe
ses journées chez Mme de Blainville. Lui offrir ce petit

---

1. Coquette : femme légère, de petite vertu.
2. Boutade : caprice d'orgueil, susceptibilité.

155 cadeau, c'était lui faire un doux reproche de son absence et lui montrer qu'il me laissait seule. Au moment où j'allais lui donner ma bourse, il a tiré l'autre.

MADAME DE LÉRY. Il n'y a pas là de quoi pleurer.

MATHILDE. Oh ! si, il y a de quoi pleurer, car j'ai fait une
160 grande folie ; je lui ai demandé l'autre bourse.

MADAME DE LÉRY. Aïe ! ce n'est pas diplomatique.

MATHILDE. Non, Ernestine, et il m'a refusé… Et alors… Ah ! j'ai honte…

MADAME DE LÉRY. Eh bien ?

165 **MATHILDE.** Eh bien ! je l'ai demandée à genoux. Je voulais qu'il me fît ce petit sacrifice, et je lui aurais donné ma bourse en échange de la sienne. Je l'ai prié… je l'ai supplié…

MADAME DE LÉRY. Et il n'en a rien fait ; cela va sans dire. Pauvre innocente ! il n'est pas digne de vous !

170 **MATHILDE.** Ah ! malgré tout, je ne le croirai jamais !

MADAME DE LÉRY. Vous avez raison, je m'exprime mal. Il est digne de vous et vous aime ; mais il est homme et orgueilleux. Quelle pitié ! Et où est donc votre bourse ?

MATHILDE. La voilà ici sur la table.

175 **MADAME DE LÉRY,** *prenant la bourse.* Cette bourse-là ? Eh ! bien ! ma chère, elle est quatre fois plus jolie que la sienne. D'abord elle n'est pas bleue, ensuite elle est charmante. Prêtez-la-moi, je me charge bien de la lui faire trouver de son goût.

MATHILDE. Tâchez. Vous me rendrez la vie.

180 **MADAME DE LÉRY.** En être là après un an de mariage, c'est inouï ! Il faut qu'il y ait de la sorcellerie là-dedans. Cette Blainville, avec son indigo[1], je la déteste des pieds à la tête. Elle a les yeux battus jusqu'au menton. Mathilde, voulez-vous faire une chose ? Il ne nous en coûte rien d'essayer.
185 Votre mari viendra-t-il ce soir ?

---

1. **Indigo** : bleu.

MATHILDE. Je n'en sais rien, mais il me l'a dit.

MADAME DE LÉRY. Comment étiez-vous quand il est sorti ?

MATHILDE. Ah ! j'étais bien triste et lui bien sévère !

190 **MADAME DE LÉRY.** Il viendra. Avez-vous du courage ? Quand j'ai une idée, je vous en avertis, il faut que je me saisisse au vol ; je me connais, je réussirai.

MATHILDE. Ordonnez donc, je me soumets.

MADAME DE LÉRY. Passez dans ce cabinet[1], habillez-vous
195 à la hâte et jetez-vous dans ma voiture. Je ne veux pas vous envoyer au bal, mais il faut qu'en rentrant vous ayez l'air d'y être allée. Vous vous ferez mener où vous voudrez, aux Invalides ou à la Bastille ; ce ne sera peut-être pas très divertissant, mais vous serez aussi bien là qu'ici pour ne pas
200 dormir. Est-ce convenu ? Maintenant, prenez votre bourse et enveloppez-la dans ce papier ; je vais mettre l'adresse. Bien, voilà qui est fait. Au coin de la rue, vous ferez arrêter ; vous direz à mon groom[2] d'apporter ici ce petit paquet, de le remettre au premier domestique qu'il rencontrera, et de
205 s'en aller sans autre explication.

MATHILDE. Dites-moi du moins ce que vous voulez faire ?

MADAME DE LÉRY. Ce que je veux faire, enfant, est impossible à dire, et je vais voir si c'est possible à faire. Une fois pour toutes, vous fiez-vous à moi ?

210 **MATHILDE.** Oui, tout au monde pour l'amour de lui.

MADAME DE LÉRY. Allons, preste ! Voilà une voiture.

MATHILDE. C'est lui ; j'entends sa voix dans la cour.

MADAME DE LÉRY. Sauvez-vous ! Y a-t-il un escalier dérobé par là ?

---

1. Cabinet : petite pièce réservée à la toilette qui jouxte la chambre.
2. Groom : mot anglais qui, au XIXᵉ siècle, désigne un jeune laquais. L'emploi de ce terme par Mme de Léry montre qu'elle est à la pointe de la mode de son temps. En effet, on assiste pendant la monarchie de Juillet à un engouement pour les mots et les coutumes d'outre-Manche.

215 **MATHILDE.** Oui, heureusement. Mais je ne suis pas coiffée ; comment croira-t-on à ce bal ?

MADAME DE LÉRY, *ôtant la guirlande*[1] *qu'elle a sur la tête et la donnant à Mathilde.* Tenez, vous arrangerez cela en route.

Mathilde sort.

SCÈNE 7. MADAME DE LÉRY, *seule.*

À genoux ! une telle femme à genoux ! Et ce monsieur-là qui la refuse ! Une femme de vingt ans, belle comme un ange et fidèle comme un lévrier ! Pauvre enfant, qui demande en grâce qu'on daigne accepter une bourse faite
5 par elle en échange d'un cadeau de Mme de Blainville ! Mais quel abîme est donc le cœur de l'homme ! Ah ! ma foi ! nous valons mieux qu'eux. *(Elle s'assoit et prend une brochure sur la table. Un instant après on frappe à la porte.)* Entrez.

—————————

1. **Guirlande** : couronne de fleurs.

SITUER

Mme de Léry tente de comprendre la cause des larmes de Mathilde.

RÉFLÉCHIR

STRATÉGIES : Mme de Léry psychologue

1. À partir de quelle réplique Mme de Léry comprend-elle que Mathilde a pleuré ? De quelle manière tente-t-elle de comprendre la raison de ces larmes ?

2. Relevez les expressions et le tact dont fait preuve Mme de Léry ? Que traduit cette nouvelle attitude ?

3. Comment Mme de Léry justifie-t-elle sa présence auprès de Mathilde en ce moment difficile ?

PERSONNAGES : générosité ou gravité ?

4. De quelle manière Musset met-il en valeur la sincérité et la naïveté de Mathilde ?

5. Dans quelle mesure le projet de Mme de Léry peut-il apparaître romanesque* et fantasque pour Mathilde ?

6. En quoi le bref monologue de Mme de Léry (scène 7) rend-il compte de la philosophie du personnage ?

7. Analysez l'autoportrait auquel procède Mme de Léry. Qu'en concluez-vous sur la complexité du personnage ?

MISE EN SCÈNE : la parole et le geste

8. Quelle est l'importance de la pantomime dans ce passage ? De quelle manière Musset la signale-t-il ?

9. D'un point de vue dramaturgique*, à quoi sert le « long silence » qu'indiquent les didascalies*. Ce moment est-il important ? pourquoi ?

10. À la fin de la scène, la configuration des lieux participe-t-elle du romanesque du stratagème ?

THÈMES : définir le caprice

11. À l'issue de cette scène, quel sens peut-on donner à l'expression employée par Mme de Léry : « c'est un caprice, une fantaisie » (l. 132) ?

12. Dans quelle mesure le titre *Un caprice* renvoie-t-il au genre du proverbe* ?

SCÈNE 8.
MADAME DE LÉRY, CHAVIGNY.

MADAME DE LÉRY, *lisant d'un air distrait.* Bonsoir, comte. Voulez-vous du thé ?

CHAVIGNY. Je vous rends grâce. Je n'en prends jamais.

Il s'assoit et regarde autour de lui.

5 **MADAME DE LÉRY.** Était-il amusant, ce bal ?

CHAVIGNY. Comme cela. N'y étiez-vous pas ?

MADAME DE LÉRY. Voilà une question qui n'est pas galante[1]. Non, je n'y étais pas, mais j'y ai envoyé Mathilde, que vos regards semblent chercher.

10 **CHAVIGNY.** Vous plaisantez, à ce que je vois ?

MADAME DE LÉRY. Plaît-il ? Je vous demande pardon, je tiens un article d'une *Revue* qui m'intéresse beaucoup.

Un silence. Chavigny inquiet se lève et se promène.

CHAVIGNY. Est-ce que vraiment Mathilde est à ce bal ?

15 **MADAME DE LÉRY.** Mais oui ; vous voyez que je l'attends.

CHAVIGNY. C'est singulier ; elle ne voulait pas sortir lorsque vous le lui avez proposé.

MADAME DE LÉRY. Apparemment qu'elle a changé d'idée.

CHAVIGNY. Pourquoi n'y est-elle pas allée avec vous ?

20 **MADAME DE LÉRY.** Parce que je ne m'en suis plus souciée.

CHAVIGNY. Elle s'est donc passée de voiture ?

MADAME DE LÉRY. Non, je lui ai prêté la mienne. Avez-vous lu ça, monsieur de Chavigny ?

CHAVIGNY. Quoi ?

---

1. **Galante :** Mme de Léry rappelle à Chavigny qu'il est indélicat de demander à une dame comment elle occupe son temps.

■ **SITUER**

Mathilde a accepté le stratagème de son amie, elle a feint de partir. Chavigny rentre du bal et se retrouve face à Mme de Léry.

■ **RÉFLÉCHIR**

STRATÉGIES : une femme et un homme

1. De quelle manière Mme de Léry prend-elle l'initiative de la conversation ? Quelle est l'importance ici des gestes et des objets (accessoires de théâtre) ?

2. Dans quelle mesure les civilités et les convenances de politesse structurent-elles l'échange ?

3. Comment Mme de Léry s'y prend-elle pour agacer Chavigny ? Que tente-t-elle de lui prouver ? Y parvient-elle ?

4. Relevez les allusions à la politique. En quoi caractérisent-elles une conversation mondaine ?

5. Quels sont les reproches implicites que Mme de Léry adresse à Chavigny ? Relevez deux ou trois exemples.

MISE EN SCÈNE : écrire la colère

6. Observez les didascalies*. Quel est le personnage le plus mobile de la scène ? pourquoi ?

7. Relevez les éléments des didascalies et du texte qui traduisent l'état de Chavigny. Qu'en déduisez-vous ?

8. Comment peut-on interpréter le geste de Chavigny qui consiste à jeter le thé au feu ? Quel est son état d'esprit à ce moment-là ?

9. Selon vous, une mise en scène de ce passage pourrait-elle se passer d'accessoires ? Justifiez votre réponse.

REGISTRES ET TONALITÉS : humour ou ironie ?

10. Quel article Mme de Léry attribue-t-elle à George Sand ? Pourquoi l'allusion fait-elle sourire ? Quel est le ton de Musset dans ce passage ?

11. Relevez les éléments de la double énonciation* qui marquent la complicité entre Mme de Léry et le lecteur (spectateur). Quel est l'effet produit par cette double énonciation ?

12. Comparez le ton employé par Chavigny avec Mathilde et avec Mme de Léry. Est-il le même ? Pourquoi ?

25 **MADAME DE LÉRY.** C'est la *Revue des Deux Mondes*[1] ; un article très joli de Mme Sand[2] sur les orangs-outangs.

CHAVIGNY. Sur les ?…

MADAME DE LÉRY. Sur les orangs-outangs. Ah ! je me trompe ; ce n'est pas d'elle, c'est celui d'à côté, c'est très
30 amusant.

CHAVIGNY. Je ne comprends rien à cette idée d'aller au bal sans m'en prévenir. J'aurais pu du moins la ramener.

MADAME DE LÉRY. Aimez-vous les romans de Mme Sand ?

35 **CHAVIGNY.** Non, pas du tout. Mais si elle y est, comment se fait-il que je ne l'aie pas trouvée ?

MADAME DE LÉRY. Quoi ? la *Revue* ? Elle était là-dessus.

CHAVIGNY. Vous moquez-vous de moi, madame ?

MADAME DE LÉRY. Peut-être ; c'est selon à propos de quoi.

40 **CHAVIGNY.** C'est de ma femme que je vous parle.

MADAME DE LÉRY. Est-ce que vous me l'avez donnée à garder ?

CHAVIGNY. Vous avez raison ; je suis très ridicule ; je vais de ce pas la chercher.

45 **MADAME DE LÉRY.** Bah ! vous allez tomber dans la queue.

CHAVIGNY. C'est vrai ; je ferai aussi bien d'attendre, et j'attendrai. *(Il s'approche du feu et s'assoit.)*

MADAME DE LÉRY, *quittant sa lecture.* Savez-vous, monsieur de Chavigny, que vous m'étonnez beaucoup ? Je
50 croyais vous avoir entendu dire que vous laissiez Mathilde parfaitement libre, et qu'elle allait où bon lui semblait ?

CHAVIGNY. Certainement ; vous en voyez la preuve.

---

1. *Revue des Deux Mondes* : clin d'œil de Musset. C'est dans cette revue dirigée par François Buloz qu'il publie tous ses textes entre 1833 et 1840.
2. **Sand** : Aurore Dupin, baronne Dudevant (1804-1876), dite George Sand, a été la maîtresse de Musset entre 1833 et 1835. Ici Musset fait allusion ironiquement à son ancienne passion.

MADAME DE LÉRY. Pas tant ; vous avez l'air furieux.

CHAVIGNY. Moi, par exemple ! pas le moins du monde.

55 **MADAME DE LÉRY.** Vous ne tenez pas sur votre fauteuil. Je vous croyais un tout autre homme, je l'avoue, et, pour parler sérieusement, je n'aurais pas prêté ma voiture à Mathilde, si j'avais su ce qui en est.

CHAVIGNY. Mais je vous assure que je le trouve tout 60 simple, et je vous remercie de l'avoir fait.

MADAME DE LÉRY. Non, non, vous ne me remerciez pas ; je vous assure, moi, que vous êtes fâché. À vous dire vrai, je crois que si elle est sortie, c'était un peu pour vous rejoindre.

CHAVIGNY. J'aime beaucoup cela. Que ne m'accompagnait-65 elle ?

MADAME DE LÉRY. Hé ! oui, c'est ce que je lui ai dit. Mais voilà comme nous sommes, nous autres ; nous ne voulons pas et puis nous voulons. Décidément, vous ne prenez pas de thé ?

70 **CHAVIGNY.** Non, il me fait mal.

MADAME DE LÉRY. Eh bien ! donnez-m'en.

CHAVIGNY. Plaît-il, madame ?

MADAME DE LÉRY. Donnez-m'en.

Chavigny se lève et remplit une tasse qu'il offre à Mme de Léry.

75 **MADAME DE LÉRY.** C'est bon ; mettez ça là. Avons-nous un ministère[1] ce soir ?

CHAVIGNY. Je n'en sais rien.

MADAME DE LÉRY. Ce sont de drôles d'auberges que ces ministères. On y entre et on en sort sans savoir pourquoi ; 80 c'est une procession de marionnettes.

---

1. **Ministère :** entre 1832 et 1839, la France se caractérise par son instabilité politique. Les ministères se succèdent, sans succès. Le ton de Musset est ici légèrement satirique*.

CHAVIGNY. Prenez donc ce thé à votre tour ; il est déjà à moitié froid.

MADAME DE LÉRY. Vous n'y avez pas mis assez de sucre. Mettez-m'en un ou deux morceaux.

85 **CHAVIGNY.** Comme vous voudrez, il ne vaudra rien.

MADAME DE LÉRY. Bien ; maintenant, encore un peu de lait.

CHAVIGNY. Êtes-vous satisfaite ?

MADAME DE LÉRY. Une goutte d'eau chaude à présent. Est-ce fait ? Donnez-moi la tasse.

90 **CHAVIGNY,** *lui présentant la tasse.* La voilà, mais il ne vaudra rien.

MADAME DE LÉRY. Vous croyez ? En êtes-vous sûr ?

CHAVIGNY. Il n'y a pas le moindre doute.

MADAME DE LÉRY. Et pourquoi ne vaudra-t-il rien ?

95 **CHAVIGNY.** Parce qu'il est froid et trop sucré.

MADAME DE LÉRY. Eh bien ! s'il ne vaut rien, ce thé, jetez-le.

Chavigny est debout, tenant la tasse. Mme de Léry le regarde en riant.

100 **MADAME DE LÉRY.** Ah ! mon Dieu ! que vous m'amusez ? Je n'ai jamais rien vu de si maussade.

CHAVIGNY, *impatienté, vide la tasse dans le feu, puis il se promène à grands pas, et dit avec humeur.* Ma foi, c'est vrai, je ne suis qu'un sot.

105 **MADAME DE LÉRY.** Je ne vous avais jamais vu jaloux, mais vous l'êtes comme un Othello[1].

CHAVIGNY. Pas le moins du monde ; je ne peux pas souffrir qu'on se gêne, ni qu'on gêne les autres en rien. Comment voulez-vous que je sois jaloux ?

---

1. **Othello :** héros de la tragédie de Shakespeare. Fou de jalousie, Othello étouffe son épouse Desdémone, sur un faux bruit répandu par le perfide Iago.

110 **MADAME DE LÉRY.** Par amour-propre, comme tous les maris.

CHAVIGNY. Bah ! propos de femme. On dit : « Jaloux par amour-propre », parce que c'est une phrase toute faite, comme on dit : « Votre très humble serviteur. » Le monde
115 est bien sévère pour ces pauvres maris.

MADAME DE LÉRY. Pas tant que pour ces pauvres femmes.

CHAVIGNY. Oh ! mon Dieu si. Tout est relatif. Peut-on permettre aux femmes de vivre sur le même pied que nous ? C'est d'une absurdité qui saute aux yeux. Il y a mille choses
120 très graves pour elles, qui n'ont aucune importance pour un homme.

MADAME DE LÉRY. Oui, les caprices, par exemple.

CHAVIGNY. Pourquoi pas ? Eh bien ! oui, les caprices. Il est certain qu'un homme peut en avoir, et qu'une femme…

125 **MADAME DE LÉRY.** En a quelquefois. Est-ce que vous croyez qu'une robe est un talisman[1] qui en préserve ?

CHAVIGNY. C'est une barrière qui doit les arrêter.

MADAME DE LÉRY. À moins que ce ne soit un voile qui les couvre. J'entends marcher. C'est Mathilde qui rentre.

130 **CHAVIGNY.** Oh ! que non, il n'est pas minuit.

Un domestique entre, et remet un petit paquet à M. de Chavigny.

CHAVIGNY. Qu'est-ce que c'est ? Que me veut-on ?

LE DOMESTIQUE. On vient d'apporter cela pour monsieur le comte.

135 *Il sort. Chavigny défait le paquet qui renferme la bourse de Mathilde.*

MADAME DE LÉRY. Est-ce encore un cadeau qui vous arrive ? À cette heure-ci, c'est un peu fort.

CHAVIGNY. Que diable est-ce que ça veut dire ? Hé !
140 François, hé ! qui est-ce qui a apporté ce paquet ?

---

1. **Talisman :** objet doté de pouvoirs magiques.

LE DOMESTIQUE, *rentrant*. Monsieur ?

CHAVIGNY. Qui est-ce qui a apporté ce paquet ?

LE DOMESTIQUE. Monsieur, c'est le portier qui vient de monter.

145 **CHAVIGNY.** Il n'y a rien avec ? Pas de lettre ?

LE DOMESTIQUE. Non, monsieur.

CHAVIGNY. Est-ce qu'il avait ça depuis longtemps, ce portier ?

LE DOMESTIQUE. Non, monsieur, on vient de le lui 150 remettre.

CHAVIGNY. Qui le lui a remis ?

LE DOMESTIQUE. Monsieur, il ne sait pas.

CHAVIGNY. Il ne sait pas ? Perdez-vous la tête ? Est-ce un homme ou une femme ?

155 **LE DOMESTIQUE.** C'est un domestique en livrée[1] ; mais il ne le connaît pas.

CHAVIGNY. Est-ce qu'il est en bas, ce domestique ?

LE DOMESTIQUE. Non, monsieur, il est parti sur-le-champ.

CHAVIGNY. Il n'a rien dit ?

160 **LE DOMESTIQUE.** Non, monsieur.

CHAVIGNY. C'est bon.

Le domestique sort.

MADAME DE LÉRY. J'espère qu'on vous gâte, monsieur de Chavigny. Si vous laissez tomber votre argent, ce ne sera pas 165 la faute de ces dames.

CHAVIGNY. Je veux être pendu si j'y comprends rien.

MADAME DE LÉRY. Laissez donc ; vous faites l'enfant.

CHAVIGNY. Non ; je vous donne ma parole d'honneur que je ne devine pas. Ce ne peut être qu'une méprise.

---

1. **Livrée :** uniforme de domestique.

170 **MADAME DE LÉRY.** Est-ce que l'adresse n'est pas dessus ?

CHAVIGNY. Ma foi si, vous avez raison. C'est singulier ; je connais l'écriture !

MADAME DE LÉRY. Peut-on voir ?

CHAVIGNY. C'est peut-être une indiscrétion à moi de vous
175 la montrer ; mais tant pis pour qui s'y expose. Tenez. J'ai certainement vu de cette écriture-là quelque part.

MADAME DE LÉRY. Et moi aussi, très certainement.

CHAVIGNY. Attendez donc... Non, je me trompe. Est-ce en bâtarde[1] ou en coulée[2] ?

180 **MADAME DE LÉRY.** Fi donc ! c'est une anglaise[3] pur sang. Regardez-moi comme ces lettres-là sont fines. Oh ! la dame est bien élevée.

CHAVIGNY. Vous avez l'air de la reconnaître.

MADAME DE LÉRY, *avec une confusion feinte.* Moi ! pas du
185 tout.

Chavigny, étonné, la regarde, puis continue à se promener.

MADAME DE LÉRY. Où en étions-nous donc de notre conversation ? – Eh ! mais, il me semble que nous parlions caprice. Ce petit poulet[4] rouge arrive à propos.

190 **CHAVIGNY.** Vous êtes dans le secret, convenez-en.

MADAME DE LÉRY. Il y a des gens qui ne savent rien faire ; si j'étais de vous, j'aurais déjà deviné.

CHAVIGNY. Voyons ! soyez franche ; dites-moi qui c'est.

MADAME DE LÉRY. Je croirais assez que c'est Mme de
195 Blainville.

CHAVIGNY. Vous êtes impitoyable, madame ; savez-vous bien que nous nous brouillerons ?

---

1. **Bâtarde :** écriture intermédiaire entre la ronde et la coulée.
2. **Coulée :** écriture penchée de la droite vers la gauche.
3. **Anglaise pur sang :** écriture cursive penchée vers la droite. Image qui fait allusion aux chevaux de race les plus beaux.
4. **Poulet :** billet doux.

MADAME DE LÉRY. Je l'espère bien, mais pas cette fois-ci.

CHAVIGNY. Vous ne voulez pas m'aider à trouver
200 l'énigme ?

MADAME DE LÉRY. Belle occupation ! Laissez donc cela ; on dirait que vous n'y êtes pas fait. Vous ruminerez lorsque vous serez couché, quand ce ne serait que par politesse.

CHAVIGNY. Il n'y a donc plus de thé ? J'ai envie d'en
205 prendre.

MADAME DE LÉRY. Je vais vous en faire ; dites donc que je ne suis pas bonne.

Un silence.

CHAVIGNY, *se promenant toujours.* Plus je cherche, moins
210 je trouve.

MADAME DE LÉRY. Ah çà, dites donc, est-ce un parti pris de ne penser qu'à cette bourse ? Je vais vous laisser à vos rêveries.

CHAVIGNY. C'est qu'en vérité je tombe des nues.

215 **MADAME DE LÉRY.** Je vous dis que c'est Mme de Blain-ville. Elle a réfléchi sur la couleur de sa bourse, et elle vous en envoie une autre par repentir. Ou mieux encore : elle veut vous tenter, et voir si vous porterez celle-ci ou la sienne.

220 **CHAVIGNY.** Je porterai celle-ci sans aucun doute. C'est le seul moyen de savoir qui l'a faite.

MADAME DE LÉRY. Je ne comprends pas ; c'est trop profond pour moi.

CHAVIGNY. Je suppose que la personne qui me l'a envoyée
225 me la voie demain entre les mains ; croyez-vous que je m'y tromperais ?

MADAME DE LÉRY, *éclatant de rire.* Ah ! c'est trop fort ; je n'y tiens pas.

CHAVIGNY. Est-ce que ce serait vous, par hasard ?

230 *Un silence.*

MADAME DE LÉRY. Voilà votre thé, fait de ma blanche main, et il sera meilleur que celui que vous m'avez fabriqué tout à l'heure. Mais finissez donc de me regarder. Est-ce que vous me prenez pour une lettre anonyme ?

235 **CHAVIGNY.** C'est vous, c'est quelque plaisanterie. Il y a un complot là-dessous.

MADAME DE LÉRY. C'est un petit complot assez bien tricoté.

CHAVIGNY. Avouez donc que vous en êtes.

240 **MADAME DE LÉRY.** Non.

CHAVIGNY. Je vous en prie.

MADAME DE LÉRY. Pas davantage.

CHAVIGNY. Je vous en supplie ?

MADAME DE LÉRY. Demandez-le à genoux, je vous le
245 dirai.

CHAVIGNY. À genoux ? tant que vous voudrez.

MADAME DE LÉRY. Allons, voyons !

CHAVIGNY. Sérieusement ? *(Il se met à genoux en riant devant Mme de Léry.)*

250 **MADAME DE LÉRY,** *sèchement.* J'aime cette posture, elle vous va à merveille ; mais je vous conseille de vous relever, afin de ne pas trop m'attendrir.

Chavigny se relève.

CHAVIGNY. Ainsi vous ne direz rien, n'est-ce pas ?

255 **MADAME DE LÉRY.** Avez-vous là votre bourse bleue ?

CHAVIGNY. Je n'en sais rien, je crois que oui.

MADAME DE LÉRY. Je crois que oui aussi. Donnez-moi-la, je vous dirai qui a fait l'autre.

CHAVIGNY. Vous le savez donc ?

260 **MADAME DE LÉRY.** Oui, je le sais.

CHAVIGNY. Est-ce une femme ?

135

MADAME DE LÉRY. À moins que ce ne soit un homme, je ne vois pas…

CHAVIGNY. Je veux dire : est-ce une jolie femme ?

265 **MADAME DE LÉRY.** C'est une femme qui, à vos yeux, passe pour une des plus jolies femmes de Paris.

CHAVIGNY. Brune ou blonde ?

MADAME DE LÉRY. Bleue.

CHAVIGNY. Par quelle lettre commence son nom ?

270 **MADAME DE LÉRY.** Vous ne voulez pas de mon marché ? Donnez-moi la bourse de Mme de Blainville.

CHAVIGNY. Est-elle petite ou grande ?

MADAME DE LÉRY. Donnez-moi la bourse.

CHAVIGNY. Dites-moi seulement si elle a le pied petit[1].

275 **MADAME DE LÉRY.** La bourse ou la vie !

CHAVIGNY. Me direz-vous le nom si je vous donne la bourse ?

MADAME DE LÉRY. Oui.

CHAVIGNY, *tirant la bourse bleue.* Votre parole d'honneur.

280 **MADAME DE LÉRY.** Ma parole d'honneur !

Chavigny semble hésiter ; Mme de Léry tend la main ; il la regarde attentivement. Tout à coup il s'assoit à côté d'elle, et dit gaiement :

CHAVIGNY. Parlons caprice. Vous convenez donc qu'une 285 femme peut en avoir ?

MADAME DE LÉRY. Est-ce que vous en êtes à le demander ?

CHAVIGNY. Pas tout à fait ; mais il peut arriver qu'un homme marié ait deux façons de parler, et, jusqu'à un certain point, deux façons d'agir.

290 **MADAME DE LÉRY.** Eh bien ! et ce marché, est-ce qu'il s'envole ? je croyais qu'il était conclu.

---

1. **Pied petit :** allusion grivoise. Le pied petit renvoie aux charmes féminins.

■ SITUER

Mme de Léry est parvenue à établir un échange avec Chavigny en faisant preuve d'esprit et d'ironie. La conversation s'oriente désormais différemment.

■ RÉFLÉCHIR

THÈMES : un caprice, des caprices ; à la recherche d'un sens perdu ?

1. Quel est le principal point de désaccord entre Chavigny et Mme de Léry ?

2. Chavigny considère-t-il la femme comme l'égale de l'homme ?

3. L'évocation des caprices par Mme de Léry paraît-elle artificielle ? Pourquoi survient-elle à ce moment du dialogue ?

4. Étudiez les images employées par Mme de Léry pour désigner la robe d'une femme. Que signifient ces comparaisons* ?

5. Pourquoi la nouvelle bourse intervient-elle avec « à-propos » dans la conversation sur le caprice ?

DRAMATURGIE : la complicité du public

6. Relevez les différents coups de théâtre* du passage. De quelle manière Musset les introduit-il dans la scène ? Sont-ils tous inattendus ?

7. Le temps de l'action est-il éloigné de la réalité ? Peut-on parler de scène « en temps réel » ?

8. Dans quelles répliques la complicité du spectateur avec Mme de Léry est-elle soulignée ?

STRATÉGIES : un duel spirituel

9. À quel jeu se livre Mme de Léry dans ce passage ? Chavigny est-il dupe ? Pourquoi la soupçonne-t-il d'avoir tout fomenté ?

10. De quelle manière Mme de Léry fait-elle de l'esprit aux dépens de Chavigny ? Relevez quelques expressions caractéristiques de cet humour ?

11. Sur quels jeux de mots reposent les questions de Chavigny pour connaître l'origine de cette bourse ? Quelle est la fonction des connotations ?

12. Mme de Léry mène-t-elle le dialogue de bout en bout ?

CHAVIGNY. Un homme marié n'en reste pas moins homme ; la bénédiction ne le métamorphose pas, mais elle l'oblige quelquefois à prendre un rôle et à en donner les
295 répliques. Il ne s'agit que de savoir, dans ce monde, à qui les gens s'adressent quand ils vous parlent, si c'est au réel ou au convenu[1], à la personne ou au personnage.

MADAME DE LÉRY. J'entends ; c'est un choix qu'on peut faire ; mais où s'y reconnaît le public ?

300 **CHAVIGNY.** Je ne crois pas que, pour un public d'esprit, ce soit long ni bien difficile.

MADAME DE LÉRY. Vous renoncez donc à ce fameux nom ? Allons, voyons, donnez-moi cette bourse.

CHAVIGNY. Une femme d'esprit, par exemple (une femme
305 d'esprit sait tant de choses !), ne doit pas se tromper, à ce que je crois, sur le vrai caractère des gens : elle doit bien voir au premier coup d'œil…

MADAME DE LÉRY. Décidément, vous gardez la bourse ?

CHAVIGNY. Il me semble que vous y tenez beaucoup. Une
310 femme d'esprit, n'est-il pas vrai, madame, doit savoir faire la part du mari, et celle de l'homme par conséquent ? Comment êtes-vous donc coiffée ? Vous étiez toute en fleurs ce matin[2].

MADAME DE LÉRY. Oui, ça me gênait, je me suis mise à
315 mon aise. Ah ! mon Dieu, mes cheveux sont défaits d'un côté. *(Elle se lève et s'ajuste devant la glace.)*

CHAVIGNY. Vous avez la plus jolie taille qu'on puisse voir. Une femme d'esprit, comme vous…

MADAME DE LÉRY. Une femme d'esprit comme moi se
320 donne au diable quand elle a affaire à un homme d'esprit comme vous.

CHAVIGNY. Qu'à cela ne tienne ; je suis assez bon diable.

---

1. **Convenu :** ce qui est en conformité avec les codes sociaux.
2. **Ce matin :** emploi vieilli qui signifie « tout à l'heure ».

MADAME DE LÉRY. Pas pour moi, du moins à ce que je pense.

325 **CHAVIGNY.** C'est qu'apparemment quelque autre me fait tort.

MADAME DE LÉRY. Qu'est-ce que ce propos-là veut dire ?

CHAVIGNY. Il veut dire que si je vous déplais, c'est que quelqu'un m'empêche de vous plaire.

330 **MADAME DE LÉRY.** C'est modeste et poli ; mais vous vous trompez : personne ne me plaît, et je ne veux plaire à personne.

CHAVIGNY. Avec votre âge et ces yeux-là, je vous en défie.

MADAME DE LÉRY. C'est cependant la vérité pure.

CHAVIGNY. Si je le croyais, vous me donneriez bien 335 mauvaise opinion des hommes.

MADAME DE LÉRY. Je vous le ferai croire bien aisément. J'ai une vanité qui ne veut pas de maître.

CHAVIGNY. Ne peut-elle souffrir un serviteur ?

MADAME DE LÉRY. Bah ! serviteurs ou maîtres, vous 340 n'êtes que des tyrans.

CHAVIGNY, *se levant.* C'est assez vrai, et je vous avoue que là-dessus j'ai toujours détesté la conduite des hommes. Je ne sais d'où leur vient cette manie de s'imposer, qui ne sert qu'à se faire haïr.

345 **MADAME DE LÉRY.** Est-ce votre opinion sincère ?

CHAVIGNY. Très sincère ; je ne conçois pas comment on peut se figurer que parce qu'on a plu ce soir, on est en droit d'en abuser demain.

MADAME DE LÉRY. C'est pourtant le chapitre premier de 350 l'histoire universelle.

CHAVIGNY. Oui, et si les hommes avaient le sens commun là-dessus, les femmes ne seraient pas si prudentes.

MADAME DE LÉRY. C'est possible ; les liaisons d'aujourd'hui

sont des mariages, et quand il s'agit d'un jour de noce, cela vaut
355 la peine d'y penser.

CHAVIGNY. Vous avez mille fois raison ; et dites-moi,
pourquoi en est-il ainsi ? pourquoi tant de comédie et si
peu de franchise ? Une jolie femme qui se fie à un galant
homme ne saurait-elle le distinguer ? il n'y a pas que des
360 sots sur la terre.

MADAME DE LÉRY. C'est une question en pareille
circonstance.

CHAVIGNY. Mais je suppose que, par hasard, il se trouve un
homme qui, sur ce point, ne soit pas de l'avis des sots ; et je
365 suppose qu'une occasion se présente où l'on puisse être franc
sans danger, sans arrière-pensée, sans crainte des indiscré-
tions. *(Il lui prend la main.)* Je suppose qu'on dise à une
femme : Nous sommes seuls, vous êtes jeune et belle, et je
fais de votre esprit et de votre cœur tout le cas qu'on en doit
370 faire. Mille obstacles nous séparent, mille chagrins nous
attendent si nous essayons de nous revoir demain. Votre
fierté ne veut pas d'un joug, et votre prudence ne veut pas
d'un lien ; vous n'avez à redouter ni l'un ni l'autre. On ne
vous demande ni protestation, ni engagement, ni sacrifice,
375 rien qu'un sourire de ces lèvres de rose et un regard de ces
beaux yeux. Souriez pendant que cette porte est fermée ;
votre liberté est sur le seuil ; vous la retrouverez en quittant
cette chambre ; ce qui s'offre à vous n'est pas le plaisir sans
amour, c'est l'amour sans peine et sans amertume ; c'est le
380 caprice, puisque nous en parlons, non l'aveugle caprice des
sens, mais celui du cœur qu'un moment fait naître et dont le
souvenir est éternel.

MADAME DE LÉRY. Vous me parliez de comédie ; mais il
paraît qu'à l'occasion vous en joueriez d'assez dangereuses.
385 J'ai quelque envie d'avoir un caprice, avant de répondre à
ce discours-là. Il me semble que c'en est l'instant, puisque
vous en plaidez la thèse. Avez-vous là un jeu de cartes ?

CHAVIGNY. Oui, dans cette table ; qu'en voulez-vous
faire ?

390 **MADAME DE LÉRY.** Donnez-moi-le, j'ai ma fantaisie, et vous êtes forcé d'obéir si vous ne voulez vous contredire. *(Elle prend une carte dans le jeu.)* Allons, comte, dites rouge ou noir.

CHAVIGNY. Voulez-vous me dire quel est l'enjeu ?

395 **MADAME DE LÉRY.** L'enjeu est une discrétion[1].

CHAVIGNY. Soit. J'appelle rouge.

MADAME DE LÉRY. C'est le valet de pique[2] ; vous avez perdu. Donnez-moi cette bourse bleue.

CHAVIGNY. De tout mon cœur, mais je garde la rouge, et 400 quoique sa couleur m'ait fait perdre, je ne le lui reprocherai jamais ; car je sais aussi bien que vous quelle est la main qui me l'a faite.

MADAME DE LÉRY. Est-elle petite ou grande, cette main ?

CHAVIGNY. Elle est charmante et douce comme le satin.

405 **MADAME DE LÉRY.** Lui permettez-vous de satisfaire un petit mouvement de jalousie ? *(Elle jette au feu la bourse bleue.)*

CHAVIGNY. Ernestine, je vous adore.

Mme de Léry regarde brûler la bourse. Elle s'approche de 410 *Chavigny et lui dit tendrement :*

MADAME DE LÉRY. Vous n'aimez donc plus Mme de Blainville ?

CHAVIGNY. Ah ! grand Dieu ! je ne l'ai jamais aimée.

MADAME DE LÉRY. Ni moi non plus, monsieur de Chavi- 415 gny.

CHAVIGNY. Mais qui a pu vous dire que je pensais à cette femme-là ? Ah ! ce n'est pas elle à qui je demanderai jamais un instant de bonheur ; ce n'est pas elle qui me le donnera !

---

1. **Discrétion :** pari à l'issu duquel le perdant doit donner au gagnant ce qu'il exige.
2. **Valet de pique :** dans la symbolique des cartes, le valet de pique est signe de malchance.

MADAME DE LÉRY. Ni moi non plus, monsieur de Chavi-
420 gny. Vous venez de me faire un petit sacrifice, c'est très
galant de votre part ; mais je ne veux pas vous tromper : la
bourse rouge n'est pas de ma façon.

CHAVIGNY. Est-il possible ? Qui est-ce donc qui l'a faite ?

MADAME DE LÉRY. C'est une main plus belle que la
425 mienne. Faites-moi la grâce de réfléchir une minute et de
m'expliquer cette énigme à mon tour. Vous m'avez fait, en
bon français, une déclaration très aimable ; vous vous êtes
mis à deux genoux par terre et remarquez qu'il n'y a pas de
tapis ; je vous ai demandé votre bourse bleue, et vous me
430 l'avez laissé brûler. Qui suis-je donc, dites-moi, pour mériter
tout cela ? Que me trouvez-vous de si extraordinaire ? Je ne
suis pas mal, c'est vrai ; je suis jeune, et il est certain que j'ai
le pied petit. Mais enfin ce n'est pas si rare. Quand nous
nous serons prouvé l'un à l'autre que je suis une coquette et
435 vous un libertin, uniquement parce qu'il est minuit et que
nous sommes en tête à tête, voilà un beau fait d'armes que
nous aurons à écrire dans nos mémoires ! C'est pourtant là
tout, n'est-ce pas ? Et ce que vous m'accordez en riant, ce
qui ne vous coûte pas même un regret, ce sacrifice insigni-
440 fiant que vous faites à un caprice plus insignifiant encore,
vous le refusez à la seule femme qui vous aime, à la seule
femme que vous aimiez !

On entend le bruit d'une voiture.

CHAVIGNY. Mais, madame, qui a pu vous instruire ?...

445 **MADAME DE LÉRY.** Parlez plus bas, monsieur, la voilà qui
rentre, et cette voiture vient me chercher. Je n'ai pas le
temps de vous faire ma morale ; vous êtes homme de cœur,
et votre cœur vous la fera. Si vous trouvez que Mathilde a les
yeux rouges, essuyez-les avec cette petite bourse que ses
450 larmes reconnaîtront, car c'est votre bonne, brave et fidèle
femme qui a passé quinze jours à la faire. Adieu ; vous m'en
voudrez aujourd'hui, mais vous aurez demain quelque
amitié pour moi, et croyez-moi, cela vaut mieux qu'un
caprice. Mais s'il vous en faut un absolument, tenez, voilà

SITUER

La complicité entre Mme de Léry et Chavigny grandit et se transforme en jeu de séduction.

RÉFLÉCHIR

PERSONNAGES : le jeu de la séduction

1. À partir de quelle réplique le discours de Chavigny devient-il galant ? Comment peut-on justifier ce nouveau changement de ton ?

2. Quelle image Chavigny se fait-il des femmes qui ne cèdent pas à ses avances ? Que révèlent ces « a priori » ?

3. Pour la première fois, Mme de Léry est décrite physiquement. À quels agréments Chavigny est-il particulièrement sensible ?

STRATÉGIES : le hasard au coin du feu

4. Analysez la réplique : « Bah ! serviteurs ou maîtres, vous n'êtes que des tyrans » (l. 339-340). Quelle idée du couple Musset propose-t-il ici ?

5. Quelle définition du « caprice » Chavigny donne-t-il dans sa déclaration ? Comment pouvez-vous qualifier cette déclaration ?

6. Que signifie le jeu auquel se livre Mme de Léry ? En quoi les cartes ont-elles ici une dimension symbolique ?

THÈMES : un proverbe* philosophique ?

7. Quelle est l'opinion de Mme de Léry sur le « caprice » ? En quoi s'oppose-t-elle à celle de Chavigny ?

8. Mme de Léry sort-elle victorieuse sur tous les points ?

9. La leçon qu'elle donne à Chavigny est-elle drôle ou sérieuse ?

MISE EN SCÈNE : un heureux dénouement

10. Par quels moyens dramaturgiques* Musset évite-t-il une fin trop moralisatrice ou édifiante ?

11. Quelle est ici l'importance des bruitages hors scène ?

12. Quelle est la valeur symbolique du dernier geste de Chavigny ?

13. De quelle manière le proverbe final renvoie-t-il au titre ?

14. Chavigny écrit une lettre à Mme de Blainville, dans laquelle il lui relate sa soirée avec Mme de Léry et les conséquences de cette conversation inhabituelle.

455 Mathilde ; vous en avez un beau à vous passer ce soir. Il vous en fera, j'espère, oublier un autre, que personne au monde, pas même elle, ne saura jamais.

Mathilde entre, Mme de Léry va à sa rencontre et l'embrasse ; Chavigny les regarde, il s'approche d'elles, prend sur la tête de 460 *sa femme la guirlande de fleurs de Mme de Léry, et dit à celle-ci en la lui rendant :*

CHAVIGNY. Je vous demande pardon, madame, elle le saura, et je n'oublierai jamais qu'un jeune curé fait les meilleurs sermons.

DRAMATURGIE : une esthétique de la miniature

1. *Un caprice* met en scène trois personnages le temps d'une soirée. Quelle volonté du dramaturge se devine derrière un tel choix ? Que révèle-t-il de la conception du théâtre de Musset ?

2. À propos de la pièce, Théophile Gautier affirme qu'elle tient « en équilibre sur la pointe d'une aiguille ». Comment comprenez-vous cette image, appliquée à la dramaturgie* d'*Un caprice* ?

PERSONNAGES : l'esprit au service de la raison

3. Observez l'évolution de chaque personnage au fil de l'intrigue. Que constatez-vous ? Évoluent-ils tous de la même manière ?

4. Par quels procédés la psychologie des personnages est-elle rendue vraisemblable ? Justifiez votre réponse.

5. Dans sa pièce, Musset met en scène trois personnages assez jeunes. De quelle façon cette jeunesse transparaît-elle ?

6. Pour Mathilde et Mme de Léry, Musset s'est inspiré de Mme Jaubert et d'Aimée d'Alton. Selon vous, quel effet produit une telle inspiration sur le caractère des personnages ?

SOCIÉTÉ : les femmes et le mariage

7. Quelle vision Musset donne-t-il du mariage ?

8. Quelle place accorde-t-il aux femmes dans le couple ? Musset est-il en accord avec la réalité de son temps ? Vous semble-t-il un auteur féministe ?

9. Ce dénouement est heureux. Cette réconciliation finale dépend-elle du contexte social ou de la psychologie des personnages ?

10. Le critique Maurice Rat affirme qu'*Un caprice* est la pièce la plus proche du petit théâtre du XVIIIe siècle. Que pensez-vous de cette affirmation ? À quel théâtre fait-il référence ? Quels détails renvoyant à la société du XVIIIe siècle affleurent dans le proverbe* ?

MISE EN SCÈNE : *Un caprice* à la scène

11. Selon vous, serait-il possible de créer *Un caprice* dans un autre décor qu'un salon ? Justifiez votre réponse.

12. Si vous aviez à mettre en scène *Un caprice*, que privilégieriez-vous ? Le réalisme des décors ? Le jeu des acteurs ? La rapidité de l'action et du dialogue ? Expliquez vos choix.

13. Pourrait-on envisager de situer l'action d'*Un caprice* de nos jours ? Justifiez votre réponse.

L'UNIVERS
DE L'ŒUVRE

Dossier documentaire
et pédagogique

LE TEXTE
ET SES IMAGES

L'esprit de la scène (p. 2-3)

1. Où Valentin se repose-t-il (doc. 1) ? Quel est le sens de ce choix du metteur en scène ? Vous paraît-il pertinent ? Quel effet produit-il sur le spectateur ?

2. Analysez le dispositif scénique (doc. 2). Sur quoi repose-t-il ? Quelle idée de l'appartement des Van Buck suggère-t-il ?

La bonne société ? (p. 4-5)

3. Commentez la disposition des comédiens sur la scène (doc. 5). Que révèle-t-elle de leur rapport ?

4. Quel est le parti pris du metteur en scène pour les décors et les costumes (doc. 5) ?

5. Commentez l'attitude de Chavigny (doc 5). À quel moment d'*Un caprice* peut-elle renvoyer ?

Le couple (p. 6-7)

6. Observez l'attitude de chaque personnage (doc. 7). Qu'expriment-elles ?

7. Quel moment d'*Il ne faut jurer de rien* ce tableau pourrait-il illustrer (doc. 7) ? Justifiez votre réponse.

8. Comment apparaît la nature (doc. 8) ? Vous semble-t-elle hospitalière ou menaçante ? Connaissez-vous le roman *Paul et Virginie* ? Que relate-t-il ?

9. Observez la position des deux personnages (doc. 8). Pourrait-elle inspirer une mise en scène d'*Il ne faut jurer de rien* ?

Le dandy (p. 8)

10. Confrontez le portrait du dandy* à la description de Valentin (acte I, scène 1). Quelles similitudes et quelles différences relevez-vous ?

11. D'après ce dessin, quelles sont les caractéristiques du dandy ? Que révèlent-elles de sa façon de vivre ?

LECTURE DE L'IMAGE

Il ne faut jurer de rien,
**mis en scène par Jean-Pierre Vincent
au Théâtre des Amandiers en 1993 (doc. 6)**

Ce cliché trahit un parti pris plutôt réaliste du metteur en scène dans le choix des décors, des costumes, et dans les attitudes des personnages. Le dispositif scénique, tel qu'il est envisagé, révèle une inventivité qui met en valeur Cécile, située légèrement en avant de la scène, côté cour.

Le raffinement du mobilier rappelle l'appartenance aristocratique de la baronne de Mantes. Des meubles anciens, notamment une chaise de style Louis XVI, dévoilent aux spectateurs son attachement aux valeurs d'Ancien Régime. Les motifs végétaux et floraux qui figurent sur le paravent font également écho au bon goût et au raffinement aristocratiques : ces ornements de verdure sont en harmonie avec ceux de la chaise blanche et trahissent le soin avec lequel le scénographe a imaginé l'univers de la comédie*. En ce sens, ce décor répond aux aspirations nostalgiques de la baronne de Mantes, qui regrette le temps des belles manières, et répond à l'esthétique du proverbe* qui vise à reproduire la vie mondaine.

Mais cette scénographie ne figure pas une simple reconstitution réaliste. Une volonté esthétisante et fonctionnelle se devine dans la disposition des décors. Le paravent sépare ainsi très légèrement Cécile des deux adultes, ce qui « sculpte » un espace de jeu plus secret où la jeune fille peut à la fois se retirer et écouter.

Ce léger retrait de Cécile est également souligné par un jeu de lumières qui la place subtilement dans un éclairage moins cru que la baronne et Van Buck.

La baronne est en parfaite harmonie avec son intérieur. Elle porte une perruque grise et une robe d'époque Louis XVI qui la font ressembler à une héroïne du XVIIIe siècle. Face à elle, Van Buck arbore une calvitie qui jure un peu avec la délicatesse des coiffures de la baronne et de Cécile. La jeune fille, tout de blanc vêtue, semble rêveuse, et en même temps, elle tend peut-être l'oreille pour savoir ce qui se dit entre sa mère et l'oncle. L'ensemble, élégant et raffiné, crée ainsi une impression de vie.

Ce parti pris scénographique constitue en fait un tableau qui révèle une lecture très fine de l'œuvre, et notamment de l'univers de la baronne.

Théâtres et scènes romantiques

À la fin de la Restauration et au début de la monarchie de Juillet, le théâtre subit de profondes modifications. Les grands succès du drame romantique sont teintés de scandale et de provocation. La scène française cherche en effet à renouveler et à dépasser des formes dramatiques usées comme la tragédie ou le mélodrame classique. Les bouleversements concernent non seulement l'écriture dramatique mais aussi la représentation scénique qui, sensiblement, s'oriente vers une esthétique spectaculaire.

SPECTATEURS ET SPECTACULAIRE

Après des événements aussi violents que la Révolution, la Terreur et les guerres napoléoniennes, le goût du public a changé, l'inspiration des auteurs également. Le théâtre, lieu privilégié de représentation du monde, prend en charge ces modifications ; elles concernent aussi bien l'esthétique des œuvres que leur réception. Dans cette perspective, bien qu'il prétende ne pas écrire pour la scène, Musset subit l'influence de tous ces changements dans les codes de la représentation. Il s'affranchit ainsi des unités et des bienséances. En outre, enfant d'un siècle inquiet Musset exprime les doutes de sa génération et renouvelle les différents genres, notamment ceux du proverbe* et de la comédie*, qu'il signe de sa griffe lyrique* et désenchantée.

Selon une tradition héritée des classiques français, le texte et l'intrigue ont longtemps prévalu sur le spectacle et le plaisir des yeux. Les réflexions théoriques de Denis Diderot sur le théâtre et l'art du comédien ont modifié, dès la seconde moitié du XVIIIᵉ siècle, l'idée d'un théâtre « figé » derrière les conventions des unités et des bienséances. Sa réflexion sur le tableau est à l'origine des profondes modifications que la scène romantique développe et renouvelle. Refusant d'opter pour un découpage traditionnel en actes, les drames se divisent en tableaux*. Le développement de cette esthétique entraîne une multiplication des décors, et l'espace scénique est de plus en plus chargé. Les changements à vue* deviennent l'usage, et à la fin du XVIIIe siècle, le mélodrame repose en grande partie sur le caractère spectaculaire de ses tableaux : tremblements de terre, inondations, incendies, etc., sont reconstitués sous les yeux d'un public ébahi. Toutefois, le spectaculaire de certains mélodrames finit par l'emporter sur des intrigues parfois faibles. Les dramaturges romantiques, Hugo et Dumas en tête, vont eux aussi utiliser le tableau et lui accorder une place significative dans leur poétique du drame.

DU MÉLODRAME AU DRAME

Le théâtre des années 1830 est marqué par l'émergence et le succès du drame romantique. Ce genre est assez complexe, tant par ses thèmes que par sa forme. Ainsi, les drames de Hugo ne ressemblent pas à ceux de Musset, ni à ceux de Vigny. On peut toutefois tenter de dégager quelques traits communs à ce genre protéiforme.

L'esthétique du mélodrame influence le développement du drame et, en bien des points, le théâtre romantique lui est redevable. Le mélodrame campe souvent des situations extrêmes. Il fournit ainsi au drame tout un éventail d'images pathétiques que les romantiques exploitent en repoussant les limites que se fixe le mélodrame. En effet, les mélodrames s'achèvent généralement par la victoire de la vertu ; le drame romantique au contraire dépeint le triomphe de l'injustice. Dans *Lucrèce Borgia* (1833), de Victor Hugo, le pur Gennaro recherche désespérément sa mère et la tue dans un quiproquo* tragique. La lecture manichéenne que le mélodrame offre du monde influence ainsi un dramaturge comme Hugo – ses détracteurs lui reprocheront d'ailleurs de ne pas écrire des drames mais des mélodrames, genre déconsidéré à partir des années 1825 ! L'influence du mélodrame sur le drame est donc bien réelle. Musset a formulé dans un vers resté célèbre le plaisir du mélodrame pathétique qui provoque les larmes : « Vive le mélodrame où Margot a pleuré. » L'héritage du mélodrame se manifeste enfin à travers la mise en scène d'effets paroxystiques, eux-mêmes inspirés du roman noir*. Dans *La Tour de Nesle*, cité par Valentin dans *Il ne faut jurer de rien* (I, 1), Dumas intègre le registre frénétique à la représentation : tours obscures, crimes atroces, incestes et meurtres en direct composent l'univers de ce drame dont le succès fut considérable.

L'histoire nationale ou européenne est la principale source d'inspiration du drame romantique français. Les temps obscurs du Moyen Âge, la violence des XVIe et XVIIe siècles constituent des mines dans lesquelles les dramaturges puisent des événements réels en les dramatisant. L'Histoire est donc réécrite par les romantiques à coup de meurtres, d'épées, de crimes. En effet, les pièces historiques se déroulent à un moment de menace, un moment de crise. Ainsi, dans *Marion de Lorme*, Hugo dessine la figure inquiétante de Richelieu et les velléités du jeune roi Louis XIII, situant l'intrigue dans le contexte bien précis de l'interdiction des duels par le cardinal. De son côté, Musset écrit l'histoire d'un tyrannicide avec *Lorenzaccio*. Ce drame philosophique dépeint l'état d'esprit d'un jeune homme pour qui le crime représente un dernier espoir de salut. Derrière cette relecture de l'Histoire par la scène, on peut deviner un message politique qui cristallise les déceptions postérieures à 1830.

Mais le drame romantique ne se définit pas seulement par son caractère historique. Certaines pièces, dont l'action est contemporaine aux années 1830, se caractérisent avant tout par la violence des situations qu'elles représentent. Crimes passionnels, meurtres de sang, suicides peuplent la scène romantique de cadavres. *Antony* de Dumas constitue un exemple de drame de la passion qui s'achève par le crime : dans la dernière scène, le héros poignarde brutalement celle qu'il aime, sous les yeux fascinés du public. Certaines adaptations de romans à la scène révèlent également le goût marqué des dramaturges romantiques et du public pour l'excès et « l'hyperbole* visuelle ». Dans les années 1830, les réécritures romantiques de *Manon Lescaut* de l'abbé Prévost (dont plusieurs adaptations sont créées sur les scènes parisiennes), de *Clarisse Harlowe* de Samuel Richardson ou des *Liaisons dangereuses* de Choderlos de Laclos trahissent une dilection pour la brutalité pathétique des situations. Les intrigues des romans sont considérablement remaniées pour fournir aux spectateurs des images plus poignantes, plus terribles ; les dénouements des drames n'ont plus rien à voir avec leurs modèles originaux et répondent au goût du public.

Le théâtre des années 1830 recherche donc dans la violence des images l'expression d'une crise morale et politique. Il s'agit d'une des manifestations les plus ostensibles du pessimisme ambiant (voir « Des œuvres de leur temps ? », p. 157).

LES DIVERTISSEMENTS

La scène romantique n'accueille pas seulement sur ses planches des genres sérieux qui provoquent le frisson ou la commotion. À côté du drame et du mélodrame se développent d'autres formes théâtrales qui rencontrent elles aussi un grand succès. Les lois de 1791, qui abrogent la censure, permettent la liberté des théâtres, et entraînent la création de petites salles où se jouent des spectacles spécifiques. C'est le cas du théâtre du Vaudeville où sont donnés, comme son nom l'indique, des vaudevilles*. Ce genre divertissant auquel Valentin fait allusion dans la première scène d'*Il ne faut jurer de rien* repose souvent sur des canevas assez simples. Quand Van Buck cite les « oncles du Gymnase », il fait allusion aux intrigues connues d'avance des vaudevilles et aux personnages types comme « l'oncle à héritage ». Musset rend également hommage à ce genre populaire en introduisant des couplets chantés dans le dialogue. Dans le proverbe* *L'Habit vert* (voir extrait p. 191), des chansons apparaissent à l'intérieur des scènes. Le critique Jean-Claude Yon a montré l'importance et le succès des genres divertissants à travers la réussite extraordinaire du dramaturge Eugène Scribe (*Eugène Scribe, la fortune et la liberté*, Nizet, 2001).

Le spectateur romantique cherche aussi le rêve et l'évasion ; les féeries, les pantomimes de Pierrot, sont là pour apaiser sa soif d'enchantement. Dans le genre très prisé de la féerie, tout est possible : les animaux parlent, les hommes se transforment, toutes les invraisemblances sont autorisées. L'une des plus célèbres féeries, *La Biche au bois*, est un florilège d'effets merveilleux. Les progrès des techniques de la scène accompagnent le succès de ces genres oubliés mais qui, contrairement à la tragédie ou au drame, ont su inventer de nouveaux modes d'expression, toujours plus novateurs, jusqu'au seuil du XXᵉ siècle. Comme le note avec humour Théophile Gautier : « […] le monde féerique est ainsi fait ; le héros, fût-il décapité, empalé, haché comme chair à pâté, mis dans un mortier et broyé au pilon, cela ne nuit en rien à sa santé… ». La figure de Pierrot, réinventée et incarnée par le mime Jean Gaspard Deburau au théâtre des Funambules, constitue le symbole de toute une époque et de tout un public. Ce personnage rêveur et fantasque, né sur le boulevard, est resté dans toutes les mémoires grâce au film de Marcel Carné, *Les Enfants du paradis* (1944), qui reconstitue avec justesse et émotion la vie des théâtres autour de 1830. Ce personnage étrange et muet entraîne le spectateur dans un monde onirique, parfois triste* mais toujours nimbé de poésie et de fantaisie.

Enfin, la parodie* constitue l'un des genres les plus prisés de l'époque : elle témoigne aussi du succès des drames qu'elle choisit pour cible. La technique des parodistes est en effet assez simple : il s'agit de repérer un drame à succès et de l'imiter en le caricaturant, en déplaçant son histoire, en modifiant la versification et les noms des personnages. Dans *Harnali ou la Contrainte par cor*, parodie d'*Hernani* de Hugo, le personnage de doña Sol devient « Quasifol » ; de même, dans une parodie d'*Antony* de Dumas, le héros éponyme, parce qu'orphelin, devient « Bâtardi ». En 1833, face au succès de *Lucrèce Borgia*, deux auteurs écrivent une *Tigresse mort-aux-rats* assez désopilante : le duc devient « Leduc », Lucrèce devient « Tigresse », et la princesse Négroni... Mme « Grosnini » ! L'inventivité des parodistes est sans limites... et n'hésite pas à friser le mauvais goût et la vulgarité pour divertir le public. Dans une certaine mesure, Musset aime aussi parodier, sur un mode plus subtil, les œuvres de son temps. L'arrivée fracassante de Valentin au château fait ainsi penser à celle d'Antony qui surgit blessé chez sa maîtresse.

Quand Musset compose ses proverbes, la scène parisienne est variée et diverse ; elle offre au spectateur son comptant de larmes, de frayeur, d'émerveillement et de rires.

DES ŒUVRES
DE LEUR TEMPS ?

« Sur un monde en ruines, une jeunesse soucieuse…[1] »

Il ne faut jurer de rien et *Un caprice* prennent le contre-pied d'une époque marquée par la déception, la désillusion et l'irrésolution. La jeunesse de 1830 a perdu ses repères et recherche dans la révolte ou l'ironie des exutoires à ses idéaux brisés. Au-delà de sa légèreté de ton, Musset est un auteur de son temps. Ses deux proverbes*, tout en restituant une image assez fine des années 1830-1840, s'en éloignent pourtant en se tournant vers le passé. Ce refus du présent et le goût pour la littérature du siècle précédent signent, dans une certaine mesure, une forme de désengagement.

L'INUTILE RÉVOLTE ?

La transformation profonde que subit l'art dramatique reflète une crise sociale et morale. Les jeunes gens contemporains de Musset subissent de plein fouet les conséquences politiques et morales de l'Histoire récente : 1789, la Terreur et les guerres napoléoniennes ont laissé exsangues bien des familles et ont marqué les esprits. Des « spectres » planent sur la conscience collective et l'imaginaire des créateurs romantiques. Charles Nodier, aîné respecté de la jeune génération, relate dans certains contes toute l'horreur de la Terreur : hanté par la silhouette de la guillotine, il décrit les décollations et les supplices ; Dumas a l'obsession des échafauds et des bourreaux. Quant à Hugo, il représente

---

1. *La Confession d'un enfant du siècle*, chapitre I.

le crime politique dans sa noirceur et son iniquité. La littérature romantique rend compte de ces angoisses. La jeunesse de 1830 est prisonnière d'une situation ambiguë. Elle se voit à la croisée des chemins, prise entre les ruines du passé et les mirages de l'avenir. Contrairement à la génération des pères, elle n'a connu ni les gloires militaires, ni le triomphe des faits d'armes, ni les espoirs engendrés par les grands hommes tels que Napoléon. Les premières pages de *La Confession d'un enfant du siècle*, écrites quelques mois avant *Il ne faut jurer de rien*, expriment magistralement l'attentisme et l'incertitude de toute cette génération. La figure paternelle est ainsi décrite symboliquement par Musset : le père est un héros impossible à dépasser. Napoléon, mort en 1821 à Sainte-Hélène, représente pour beaucoup une figure tutélaire. À partir de 1830, l'Empereur défunt devient un mythe politique et littéraire : plus de dix pièces lui sont consacrées entre septembre et décembre 1830 !

Lorsque les barricades s'élèvent à la fin de juillet 1830 et que Paris s'insurge contre le gouvernement de Charles X, un souffle d'espoir parcourt toute la jeunesse. Elle croit en un nouvel avenir politique qui saura respecter les valeurs humanistes issues de la Révolution sans en renouveler les erreurs. L'enthousiasme que suscite l'avènement de Louis-Philippe Ier – qui porte le titre de « Roi des Français » et non plus celui de « Roi de France » – est signe d'espérance parmi les classes défavorisées et les artistes. Mais l'enthousiasme n'est qu'éphémère. Très vite, la monarchie de Juillet voit le triomphe de la bourgeoisie, les sphères du négoce s'enrichissent, les clivages sociaux s'accentuent et la criminalité urbaine augmente. Bref, d'une révolution à l'autre, tout paraît vain à la génération de Musset, un climat de désenchantement envahit la jeunesse et toute la production littéraire. Les premières pièces de Musset, *Les Caprices de Marianne*, *Fantasio*, et surtout *Lorenzaccio*, expriment avec grâce et gravité la vacuité de toute action humaine, qu'elle soit intime ou publique.

LA MORT DANS L'ÂME

Le pessimisme qui caractérise les premières œuvres de Musset dépasse le simple phénomène littéraire : c'est un fait de société. À l'embourgeoisement de la société de Louis-Philippe, la jeunesse répond par une certaine délectation morbide, la recherche d'émotions fortes et d'exaltations nouvelles. Cette quête insatisfaite, cette révolte vaine, s'exprime de façon récurrente dans le théâtre et la poésie de Musset. Elle prend une signification plus générale dans *Le Fils du Titien*, nouvelle écrite quelques mois après *Un caprice*. Musset y retrace un épisode fictif de la vie de Pippo, fils du célèbre peintre vénitien Titien. Le jeune homme, qui a beaucoup de points communs avec Musset, est un joueur désabusé et désinvolte que Béatrice Donato tente de sauver en posant pour lui. Comme dans *Un caprice*, Musset prend Aimée d'Alton pour modèle de son récit. Dans cette nouvelle, la jeune femme offre d'ailleurs une bourse au peintre… Le héros réalise un chef-d'œuvre, mais il n'ira pas plus loin dans son art, préférant les plaisirs plus immédiats et plus faciles. La fin de la nouvelle révèle l'état d'esprit qui traverse l'époque : l'art des pères ne peut pas être surpassé, les fils sont condamnés à une sorte d'errance esthétique et métaphysique. La seule véritable raison de vivre reste « le baiser du modèle », c'est-à-dire l'amour. Cet exemple, tiré de l'œuvre de Musset, reflète bien la dissolution de nombreuses valeurs, jusqu'à celles de l'art. Dans une autre perspective, à la fin du *Chef-d'œuvre inconnu* d'Honoré de Balzac (1831), le peintre Frenhofer détruit son tableau, incapable de trouver la perfection et l'absolu dans sa peinture.

Après les révoltes littéraires de 1830, immortalisées par le gilet rouge de Gautier à la première d'*Hernani*, les temps sont à la méditation résignée. Le critique Paul Bénichou a nommé avec justesse les auteurs de la génération de Musset « l'École du désenchantement ». Ainsi, des œuvres aussi importantes que *La Peau de chagrin* de Balzac, *Le Rouge et le Noir* de Stendhal ou *Les Caprices de Marianne* de Musset écrivent, chacune à leur manière, l'histoire d'un échec. En ce sens, la prédilection que Musset affirmera de plus en plus pour le XVIIIe siècle est significative : il s'éloigne de son temps et préfère se tourner vers le passé. Dans ses proverbes* de salon, il campe une aristocratie décalée, éloignée des valeurs bourgeoises de la monarchie de Juillet. Ses *Contes et Nouvelles* trahissent même la nostalgie de temps révolus où le bonheur semblait facile à trouver et plus simple à vivre. *Il ne faut jurer de rien* inaugure cette rétrospection littéraire.

Le désenchantement de 1830 se caractérise enfin par le goût de la mort. La vogue des suicides à cette époque n'est pas seulement un mythe inventé par la littérature. En 1832, deux jeunes dramaturges sans succès, Victor Escousse et Auguste Lebras, mettent fin à leurs jours dans une misérable chambre. Leurs contemporains y voient le symbole de l'échec d'une société qui ne comprend pas sa jeunesse. Dans les drames romantiques, comme dans la plupart des romans de l'époque, les jeunes héros sont donc condamnés. Dans *Illusions perdues* et *Splendeurs et Misères des courtisanes*, romans aux titres évocateurs, Balzac dissèque les mouvements du cœur, les ambitions déçues et la chute finale. Lucien de Rubempré, héros de ces récits, termine sa carrière tragiquement : il se pend dans sa cellule.

« LE MOIS DE MAI SUR LES JOUES [...] ET LE MOIS DE JANVIER DANS LE CŒUR[1] »

Le désenchantement trouve également une expression originale dans une littérature dominée par l'esprit de fantaisie et d'ironie. Dans la préface de *Mademoiselle de Maupin* (1835), Gautier prend une distance pleine d'autodérision avec les mœurs de son temps. La tristesse joyeuse de son univers rend compte indirectement d'un rejet des convenances bourgeoises. Fidèle jusqu'à sa dernière heure aux élans idéalistes du romantisme des débuts, comme Musset, il jongle avec l'humour et la poésie pour mieux épingler les désillusions de 1830.

---

1. *Fantasio*, acte I, scène 2.

Face à l'échec de la révolte, la voie de l'humour, explorée par certains auteurs, se dessine comme un phénomène littéraire et social. La fantaisie est ainsi un exutoire face aux attentes déçues. Toute une partie de la littérature romantique est « goguenarde », pour reprendre un terme cher à Gautier ; en ce sens, la désinvolture apparente s'affirme comme une manière d'exorciser le « mal du siècle », qui se poursuit bien au-delà de 1830. Musset lui-même adopte une attitude un peu moqueuse et quelque peu distante à l'égard des modes de son temps. Il raille ainsi, dans la préface de *La Coupe et les Lèvres*, les « rêveurs à nacelles ».

La société de 1830, agitée et instable, a donc besoin d'humour. *Fantasio*, comédie atypique de Musset, dépeint un monde étonnant qui éclaire son époque. Le personnage principal de cette comédie-féerie est un faux bouffon, Fantasio, qui s'introduit dans le palais du roi, autant parce qu'il fuit ses créanciers que parce que l'idée lui traverse l'esprit. On considère souvent cette comédie comme un tableau de la monarchie de Juillet transposé dans un Munich de carton-pâte… Toutefois l'intérêt de la pièce dépasse de loin un quelconque message politique qu'aurait souhaité faire passer Musset. En effet, *Fantasio* montre l'inaction, l'ennui, l'oisiveté subie et la recherche d'émotions et d'aventures que n'offre pas le quotidien : « Quelle solitude que tous ces corps humains ! », soupire le héros désabusé. Fantasio, c'est aussi Musset, bouffon du romantisme, enfant terrible d'une école dont il ne s'est jamais vraiment senti le fils et d'une société dans laquelle il ne trouvera jamais véritablement sa place.

Derrière les sourires romantiques se cachent donc les phénomènes complexes qui accompagnent les sociétés en mutation. Durant cette époque paradoxale, la littérature répond par des inspirations contradictoires. On peut évoquer, pour tenter de définir l'atmosphère de 1830, les propos de Gautier sur le théâtre de Musset : « Tous ces chefs-d'œuvre sont si vifs et si enjoués, si pleins d'attendrissement et de rêverie, de sourires mouillés et de larmes souriantes… »

DANDYSME* ET ROMANTISME

Un caprice comme *Il ne faut jurer de rien* fournissent aux lecteurs et aux spectateurs des renseignements précis sur les habitudes de la vie parisienne des années 1830. Dans une certaine mesure, ces proverbes offrent une vision des préoccupations de la jeunesse dorée sous Louis-Philippe. Les lieux évoqués dans les deux proverbes existent dans la réalité et constituent des centres d'attraction autour desquels papillonne toute une foule élégante : le bal, le théâtre, les promenades dessinent la géographie d'un *fashionable* de 1836-1837. Le dandysme de Valentin, de Chavigny et de Mme de Léry renseigne également sur la jeunesse de Musset.

Le dandysme est un art de vivre et de penser : c'est une philosophie que la critique Marie-Christine Natta désigne par l'expression « la grandeur sans convictions » (*La Grandeur sans convictions*, Félin, 1994).

Il importe en effet avant tout aux *jeunes lions*, *fashionables* et autres *dandys* d'afficher un désœuvrement calculé, d'adopter une posture morale cynique, désabusée, et de mépriser la norme. L'anticonformisme de célébrités de l'époque comme Byron ou George Brummel leur sert de modèle. Ainsi, Valentin exprime le refus des valeurs traditionnelles et bourgeoises à travers ses revendications de fashionable. En ce sens, le dandysme peut être considéré comme une forme de révolte. La tirade dans laquelle Valentin décrit son oisiveté et son goût pour le raffinement vestimentaire révèle indirectement son incapacité à entrer dans la vie active, à s'impliquer dans la société. Le dandysme peut donc s'interpréter comme le rejet des contraintes, des valeurs, et finalement le refus d'entrer dans la société bourgeoise. Comme son créateur, Valentin préfère la fuite dans le jeu et les séductions faciles aux réalités sociales.

Balzac, qui se piquait aussi de dandysme, affirme dans son *Traité de la vie élégante* que « la toilette est l'expression de la société ». Les références à la mode vestimentaire qui égaient les proverbes rendent compte des préoccupations d'une jeunesse réduite à l'oisiveté. Valentin refuse de finir « surnuméraire dans l'entresol d'un avoué » et applique à sa vie les principes du dandy parisien des années 1830-1840. Van Buck le lui reproche d'ailleurs explicitement ; implicitement il critique un désœuvrement qu'il ne comprend pas, car lui-même appartient à une génération où le travail était une valeur positive.

Mais le jeune homme est un dandy à la manière de Musset. La description physique et les détails que l'auteur donne sur son personnage dessinent un bel autoportrait : « gilets de satin », « barbe en pointe », « cheveux sur les épaules », « robe de chambre à fleurs ». Or Musset ne s'est jamais vraiment résolu à entrer dans la vie active et, contraint de trouver un emploi, il s'est montré peu assidu à la tâche. Dans les deux pièces présentées ici, l'insistance de Musset sur les habitudes de vie et la mode parisiennes est peut-être une manière moins tragique d'exprimer la vacuité du monde. Toutefois, ces préoccupations, qui peuvent paraître futiles, sont davantage des exutoires que des afféteries.

Qu'il s'agisse de la révolte, de la violence ou d'une distance ironique et dandy, *Un caprice* et *Il ne faut jurer de rien* témoignent donc de leur temps en prenant le parti plaisant de l'humour qui exorcise les inquiétudes d'une époque.

FORMES
ET LANGAGES

Le proverbe réinventé

Musset est incontestablement l'inventeur du proverbe*
romantique. Le succès sur les planches d'*Il ne faut jurer de rien*
et d'*Un caprice* révèle sa parfaite maîtrise de l'écriture théâtrale.
Le tempo dramatique, la construction des dialogues et la psychologie des personnages sont en effet marqués par la vivacité
du style. Musset s'approprie le genre du proverbe en lui insuf-
flant les éléments les plus significatifs de sa poétique : esprit,
ironie*, acuité et lyrisme*.

L'HÉRITAGE D'UN GENRE

Attesté dès la première moitié du XVIIᵉ siècle, le genre du proverbe répond à des règles et des codes d'écriture que Musset
renouvelle. Généralement bref, le proverbe illustre une maxime
contenue dans le titre ou bien cache une énigme ou un mot
dans le dialogue. Cette forme théâtrale instaure donc d'emblée
un échange ludique entre le public et l'auteur. Par exemple,
dans le proverbe de Carmontelle *Le Tombeau*, un quiproquo
comique se construit autour du sens du mot « tombeau », mal
interprété par un jeune jardinier. Le proverbe est donc un divertissement mondain qui fait appel à la complicité du public,
impliqué dans la recherche d'une énigme, d'une maxime, ou la
découverte du double sens d'un mot. Cette intelligence avec les
destinataires, Musset la crée dans ses deux proverbes, en jouant
sans cesse avec les sens et les sous-entendus. Il invente ainsi une
forme théâtrale proche de la conversation mondaine, ce qui lui
permet de distiller bons mots, traits d'esprit, et allusions qui
sont comme des clins d'œil au public – Musset aimait d'ailleurs
lui-même faire des tours de magie, adorait les jeux, qu'ils soient
de hasard, de mots ou d'esprit.

Le proverbe est un genre essentiellement bref et mondain. *Un caprice* constitue une parfaite illustration de cette forme de théâtre miniature : ce spectacle de salon implique un sens de l'esquisse et du trait frappant. La pièce, composée de huit scènes, répond donc parfaitement à la forme et au dessein que s'assigne originellement le proverbe : divertir avec peu de personnages sans que l'action s'étende. Si Musset reprend cette économie de l'efficacité dans les deux proverbes, il en réinvente cependant la forme et introduit le registre ironique qui dépasse le simple divertissement élégant. En effet, comme dans ses comédies et ses drames, il insuffle à ses proverbes la singularité d'un langage théâtral neuf, fondé sur une langue vive et des échanges toujours brillants. Musset « énerve » donc le proverbe et le rapproche de la comédie de mœurs. Dans *Il ne faut jurer de rien*, il emprunte à la comédie certains de ses caractères : mariages arrangés, quiproquos*, personnages types. À l'instar de Molière qu'il admire, Musset inscrit dans ses pièces le double registre de l'humour et de la satire* ; pour cela, il a recours aux principes traditionnels des comiques de geste, de situation et de langage. *Il ne faut jurer de rien* offre un bel exemple de comique de situation lorsque Van Buck se cache dès que Cécile entre en scène (acte II, scène 1). Dans *Un caprice*, c'est principalement le comique de langage qui est à l'œuvre. Ce sens du dialogue et de la repartie rappelle les comédies de Marivaux. Dans les deux cas, l'originalité formelle consiste à rester à la lisière des genres, à moduler le proverbe, à le faire tendre vers la comédie* tout en conservant sa singularité.

ESPRIT ET HUMOUR

Il ne faut jurer de rien et *Un caprice,* proverbes qui ressemblent à des comédies, se fondent davantage sur le registre humoristique que sur le comique proprement dit. La principale réussite stylistique de ces deux pièces réside en effet dans le maniement de l'humour subtil, et la mise en forme constante de ce qu'on peut appeler « l'esprit ». La rapidité avec laquelle fusent les reparties provoque constamment le sourire du lecteur ou du spectateur. Ainsi, le dialogue entre Mme de Léry et Chavigny est fondé sur un enchaînement de répliques cocasses et intempestives. L'art de la saillie caractérise l'échange entre les protagonistes. Dans *Il ne faut jurer de rien*, les deux premières scènes de l'acte I montrent bien comment Musset parvient à créer des situations amusantes par le seul dialogue, sans artifice spectaculaire. Stylistiquement, cette première scène repose sur un jeu de répétitions. Les arguments de Van Buck sont ainsi constamment détournés de leur caractère sérieux par Valentin. Ce même système de reprise et de détournement ironique caractérise *Un caprice*. Mais l'humour de Musset se manifeste aussi dans les coq-à-l'âne et les dialogues de sourds. La première scène entre la baronne et l'abbé en offre la meilleure illustration. La conversation cohérente est minée par une parole inopinée, « coup de théâtre* verbal » qui brise la logique du dialogue et l'entraîne toujours vers une nouvelle direction. Dans les deux pièces, l'esprit de l'auteur est au service de l'humour des situations et des échanges.

Dans *Un caprice*, l'intelligence des dialogues crée une allégresse verbale qui ne se relâche jamais. Les réponses à l'emporte-pièce de Mme de Léry jaillissent et participent de l'entrain général. Mais Musset a également l'art du récit bref et amusant. Les descriptions très rapidement croquées par Mme de Léry sont d'une grande justesse de ton :

« MADAME DE LÉRY. [...] Décidément, il n'y a que les manches plates ; mais j'ai été longtemps à m'y faire ; et puis je trouve qu'il ne faut pas être trop grasse pour les porter, parce que sans cela on a l'air d'une cigale, avec un gros corps et de petites pattes.

MATHILDE. J'aime assez la comparaison » (sc. 6, l. 54-57).

La baronne de Mantes est également habile dans les saillies suggestives. Ce qui caractérise principalement ce feu d'artifice verbal, c'est le sens de la formule frappante et de la boutade immédiatement spirituelle, qui sont nombreuses dans les deux pièces : Mme de Léry en est « à sa douzième grippe de l'hiver » ; de son manteau en renard elle fera « un petit tapis » ; enfin, selon elle, les robes ne sont pas des « talismans » qui préservent les femmes des caprices. Dans *Il ne faut jurer de rien*, les sorties intempestives de la baronne de Mantes contribuent furieusement à l'humour de la pièce. En fait, l'écriture laisse toujours un sentiment d'improvisation ; cette facilité donne l'impression au lecteur qu'elle ne se prend jamais au sérieux.

Enfin, l'énergie des deux proverbes se construit sur certains décalages, qu'ils concernent le langage ou les attitudes. Musset joue ainsi avec la valeur que les personnages accordent aux détails. Face à l'urgence de la situation, et malgré les péripéties* de la matinée, la baronne n'abandonne pas ses cartes et en fournit une explication cocasse :

> « LA BARONNE. J'aurais voulu voir que mon frère, qui était à Monsieur, tombât de carrosse à la porte d'un château, et qu'on l'y eût gardé à coucher. Il aurait plutôt perdu sa fortune que de refuser de faire un quatrième (II, 2, l. 21-24). »

Ces obsessions décalées, fondées sur des convenances obsolètes, sont renforcées par la balourdise de Van Buck qui, par ses maladresses et ses gaffes, crée également des situations cocasses. L'un des passages les plus désopilants est celui de la lettre : la baronne, l'ayant interceptée, la lit et la commente. L'humour repose sur l'écart entre le contenu de la missive et les commentaires de la future belle-mère. Ici, la théâtralité joue pleinement son rôle. Dans les scènes où le comique de situation est prédominant, l'humour de Musset se manifeste dans des allusions ou des bons mots en décalage avec l'action. Lorsque Van Buck évoque de manière gaillarde sa jeunesse passée, Musset joue avec la distance qui sépare le contenu du refrain de l'attitude tendrement grotesque de l'oncle (III, 3).

Dans les deux proverbes, les personnages dépassent finalement les types* et Musset ne verse jamais dans la caricature facile : l'oncle à héritage, le jeune homme insouciant, la fausse ingénue, la jeune femme mariée et le mari volage sont versatiles. Musset fait se confronter les personnages en leur accordant à chacun un sens de la repartie, ce qui crée systématiquement des situations et des conversations animées… L'art du dramaturge repose ainsi sur sa facilité à croiser des personnalités originales dans des situations saugrenues. La composition des caractères vient donc se calquer sur le sens du verbe que Musset leur insuffle.

L'ART DU RYTHME

La fantaisie et l'inventivité permanente qui motivent les dialogues des deux pièces créent un tempo dramatique singulier. Si Musset reste fidèle à la tradition de la comédie, il varie constamment la longueur et le rythme des scènes ; à l'intérieur de celles-ci, il module la forme de la conversation : stichomythies, tirades, monologues se succèdent. Ce maniement subtil de la forme des répliques crée des contrastes surprenants et confère aux deux proverbes un rythme original fondé sur des contrastes plaisants.

Il ne faut jurer de rien présente une alternance de scènes brèves et de scènes longues. On observe également des constructions répétitives. Par exemple, la structure de l'acte II répond à celle de l'acte I. Ces deux actes s'ouvrent par une scène assez longue et s'achèvent par une accélération brutale du rythme. Une même urgence caractérise les entrées et les sorties de Mme de Léry dans *Un caprice*. Son arrivée inopinée au moment où la situation se tend entre Chavigny et Mathilde, son retour inattendu du bal, créent de petits effets de surprise qui rythment la pièce. En somme, aux longs échanges succède une nécessité de mouvement qui ne fait jamais craindre l'ennui. Le dénouement des deux proverbes est également marqué par la surprise, grâce au retour brutal de personnages : dans *Il ne faut jurer de rien*, c'est la compagnie de la baronne et de Van Buck qui surprend les deux amants ; dans *Un caprice*, c'est Mathilde qui revient de sa sortie feinte. Bref, Musset ménage habilement des coups de théâtre tout au long de ses pièces. Mais le rythme dramatique ne repose pas seulement sur ces effets. À l'intérieur des scènes, les ruptures de ton accentuent cette esthétique de la mobilité. Comme le masque de Protée, tout change constamment de forme.

L'HARMONIE DES REGISTRES

Il ne faut jurer de rien surprend ainsi par l'intrusion du registre lyrique* dans la dernière scène ; ce changement subtil met doublement en valeur le comique des scènes précédentes et la poésie de la déclaration. Le lyrisme de Valentin, enthousiaste et jubilatoire, vient éclairer d'un jour nouveau le proverbe : c'est une parenthèse de poésie dans une comédie de mœurs. Musset, dramaturge et poète, donne ainsi toute la mesure de son sens de l'image dans la longue scène finale. Les métaphores*, comparaisons* et hyperboles* symboliques tissent dans le dialogue un réseau qui mêle à la déclaration amoureuse la nostalgie et l'espérance ; le ton est même parfois légèrement élégiaque, voire pathétique. L'harmonie et le calme soudains de ce nocturne sont renforcés par le choix du cadre naturel. Comme souvent dans le théâtre de Musset, la poésie des mots fait écho aux lieux. La nature devient le miroir poétique des amants, renforce le lyrisme des mots. Musset sacrifie ici à une esthétique héritée des idées de Jean-Jacques Rousseau, qui prône l'unisson entre l'Homme et la Nature.

Les ruptures de ton et les changements de registre brisent toute forme de monotonie. Cette motilité instaure aussi une sorte d'instabilité. Dans *Un caprice*, dont le ton est globalement plaisant, Musset introduit dans les dialogues des passages plus sérieux, voire graves. Cela rajoute non seulement une originalité au propos mais aussi une profondeur à l'intrigue. En ce sens, le rythme des deux proverbes est constamment au service du sens. Ces ruptures, habilement menées, confirment la théâtralité de ces proverbes qu'initialement Musset ne destinait pas à la scène. Le contraste entre la première et la dernière scène d'*Il ne faut jurer de rien*, le changement brutal de résolution de Chavigny dans *Un caprice*, les entrées et les sorties inattendues, les péripéties* romanesques, tout permet d'appliquer à la dramaturgie de Musset le titre de son proverbe : il ne faut jurer de rien. Quel que soit le choix du dramaturge, dans les deux proverbes, le style est en effet au service d'une poétique de la surprise.

UNE DRAMATURGIE DU SYMBOLE ?

Le langage dramatique de Musset cisèle les dialogues et les scènes à la manière d'un orfèvre, tout en délicatesse et en raffinement. Il place le mot juste ou la comparaison bien sentie comme pivots de la conversation. Toutefois ce réseau de sous-entendus ne prend réellement de valeur que confronté aux objets qui tiennent, eux aussi, une place prépondérante. Ce qui pourrait passer pour de simples accessoires de théâtre dépasse largement la seule fonction utilitaire et anecdotique. Musset crée ainsi un autre langage : il fait parler les choses.

Parallèlement aux mots, Musset confère en effet aux objets du quotidien une signification bien souvent symbolique. Dans *Un caprice*, les deux bourses, la rouge et la bleue, font successivement leur entrée en scène pour disparaître et réapparaître à nouveau. Dans ce va-et-vient, on peut lire une volonté ludique de la part de Musset, mais cette « chorégraphie » des bourses n'est pas dépourvue de sens. Les couleurs ne sont pas non plus choisies au hasard : la bleue, celle de Mme de Blainville, est vulgaire et banale, puisqu'elle est de la « couleur des perruquiers » ; la rouge, au contraire, est plus ardente, et révèle, après un an, tout l'amour que Mathilde voue à Chavigny. L'importance que Musset accorde à ces objets constitue le prétexte de l'intrigue. De fait, les bourses jouent un rôle dramaturgique évident, apparaissant à des moments clés de la fable : exposition*, péripéties et dénouement. C'est finalement la bourse bleue de Mme de Blainville qui finit dans les flammes. Celle de Mathilde, conçue dans un élan d'amour et de désir, après être passée entre toutes les mains, revient enfin à son véritable destinataire, chargée d'un sens qu'elle n'avait pas au commencement.

Une même rhétorique des objets structure *Il ne faut jurer de rien*. Au début de la scène 2, la baronne cherche vainement son peloton bleu : un comique de mots et de situation en découle. Les cartes sont également présentes dans les deux proverbes et constituent une véritable mise en abyme*. En effet, il s'agit d'un jeu de société à l'intérieur du divertissement mondain qu'est le proverbe.

Ce langage du jeu, que Musset invente grâce aux objets, inscrit la forme du proverbe dans sa dimension ludique. À l'instar des cartes, le proverbe est un plaisir de salon. La présence des jeux transcende donc l'anecdote réaliste ou la simple volonté « décorativiste » du dramaturge. Il s'agit d'un langage codé, celui du hasard, celui du pari, de la gageure « à qui perd gagne ». Musset s'amuse même avec la superstition des cartes : le malchanceux Chavigny retourne le valet de pique qui traditionnellement porte malheur ou signe la défaite de celui qui le tire.

Le langage des accessoires, des couleurs, des objets renvoie à des espaces symboliques que la parole ne dit pas toujours. La gestuelle que Musset invente dans ses proverbes revêt également un sens métaphorique. Ainsi, la scène du thé entre Chavigny et Mme de Léry devient une véritable cérémonie, une mise à l'épreuve. De même, le chocolat que prennent ensemble Valentin et son oncle (acte I, scène 1) et le repas qu'ils partagent dans le dernier acte constituent des modes d'expression originaux qui fixent le rapport entre les personnages. En ce sens, Musset fait preuve d'inventivité dans sa conception du proverbe. Il conserve le caractère réaliste du genre en introduisant des accessoires et des gestes « réels » à sa dramaturgie*. Mais il accorde un vrai rôle aux objets et à la pantomime : il crée un second mode d'expression. Cette poétique du geste et de l'objet, fondée sur des rituels de sociabilité, constitue un langage théâtral neuf, à la fois réaliste et symbolique.

LA STRUCTURE
D'IL NE FAUT JURER DE RIEN

Acte	Scène	Temps	Lieux	Valentin	Van Buck	Cécile	La baronne	L'abbé	Action
I	1	Fin de matinée et début d'après-midi	La chambre de Valentin						Van Buck sermonne Valentin sur les nécessités de changer de conduite et de se marier. Valentin refuse ironiquement et fait un pari : il séduira Cécile incognito pour prouver à son oncle qu'il ne doit pas l'épouser.
	2	Milieus d'après midi	Au château de la baronne de Mantes, dans un salon						Intrusion dans l'univers de la baronne : Cécile prend un cours de danse, la baronne joue aux cartes avec l'abbé. Arrivée inopinée de Van Buck, puis de Valentin qui se fait porter blessé au château. Le stratagème est enclenché.
II	1	En fin d'après-midi	Une allée sous une charmille						Valentin expose les raisons de mener à terme son projet malgré les sermons de son oncle. Cécile apparaît trois fois, Van Buck se cache à chaque fois. L'attitude simple de Cécile exaspère Valentin qui décide de lui écrire un billet d'amour.
	2	Un peu plus tard dans l'après-midi	Le salon de la baronne						Coup de théâtre : Van Buck interrompt la partie de cartes de la baronne et lui révèle que Valentin a écrit à sa fille. Aveux de Cécile, lecture publique de la lettre. Valentin y traite la baronne de « girouette ». Vexée, elle chasse Van Buck et Valentin.

ACTE	SCÈNE	TEMPS	LIEUX	VALENTIN	VAN BUCK	CÉCILE	LA BARONNE	L'ABBÉ	ACTION
III	1	Peu avant l'heure du dîner	Une auberge						Valentin et Van Buck se retrouvent dans une auberge des environs et commentent les événements de cette folle journée. Valentin continue à échafauder des plans et Van Buck se lamente.
	2	Au moment du dîner	Un salon						La baronne se plaint du retard des préparatifs pour la fête qu'elle a organisée au château. Elle a enfermé Cécile. Profitant de l'absence de sa mère, Cécile feint un évanouissement. Le naïf abbé lui ouvre la porte et la jeune femme s'enfuit.IIIIII
	3	Après le dîner	À l'auberge						L'oncle et le neveu ont partagé un repas un peu arrosé. Van Buck se laisse aller à son tempérament de bon vivant. Valentin se rend au rendez-vous qu'il a fixé dans la forêt, tandis que la baronne et l'abbé recherchent Cécile évadée.
	4	Le crépuscule	Un petit bois						Cécile rejoint Valentin. Après une série de questions, de réponses et de découvertes mutuelles, Valentin oublie son dandysme* cynique et déclare son amour à Cécile. Ils sont finalement rejoints par la compagnie.

LA STRUCTURE
D'UN CAPRICE

Scènes	Lieu	Temps	Mathilde	Chavigny	Madame de Léry	Action
1						Mathilde attend Chavigny. Elle termine de coudre la bourse
2						Chavigny refuse la bourse rouge. Une autre femme lui en a offert une bleue.
3						Mme de Léry révèle l'origine de la bourse bleue, part au bal mais promet de revenir.
4	La chambre à coucher de Mathilde	Après le dîner				Mathilde supplie Chavigny à genoux de lui donner la bourse bleue : il refuse et part.
5						Mathilde est seule et désolée.
6-7						Retour de Mme de Léry. Elle comprend le chagrin de Mathilde et lui propose de l'aider. Mathilde feint de partir au bal.
8						Retour de Chavigny. Jeu de séduction avec Mme de Léry. Elle le contraint à s'agenouiller, lui offre la bourse rouge et lui révèle qui l'a faite. Retour de Mathilde et *mea culpa* de Chavigny.

LES THÈMES

La richesse thématique d'*Il ne faut jurer de rien* repose sur la fantaisie et la minutie avec laquelle Musset décrit une société qui mêle des aspects d'Ancien Régime à ceux des années 1830. À travers le personnage de Valentin, moins torturé que celui d'Octave dans *Les Caprices de Marianne*, Musset offre aux lecteurs un portrait de lui-même. Mais le proverbe* évoque aussi très souvent la littérature, qui sert à la fois de miroir et de repoussoir aux personnages de la pièce.

La peinture sociale

Il ne faut jurer de rien peut se lire comme une photographie des coutumes de son temps et comme le témoignage des survivances des mœurs d'Ancien Régime. Musset mêle donc habilement des données contemporaines à des éléments du passé, qu'il évoque avec une ironie tendre et satirique*. Comme Molière l'avait fait avec *Les Précieuses ridicules*, Musset met en scène les habitudes d'une aristocratie décalée. La pièce appartient donc à la fois au proverbe et à la comédie* : les deux genres ont en commun de représenter la société, de montrer au public ses habitudes, ses manies, ses ridicules. Mais Musset ne décrit pas n'importe quel monde. Celui d'*Il ne faut jurer de rien* est bien spécifique. Il s'agit de la bourgeoisie enrichie par le négoce d'une part, et de l'aristocratie d'Ancien Régime qui a conservé les usages d'antan, d'autre part. Dans les deux cas, les règles du savoir-vivre sont traitées de façon humoristique, voire comique.

Le caractère « parisien » de l'action est constamment rappelé. Valentin est un dandy* de la capitale. Paris constitue un ancrage peu exotique mais confère un charme réaliste au proverbe, et Musset fournit ainsi de précieux renseignements sur les goûts de son temps. L'actualité affleure également : certains événements marquants sont évoqués. L'allusion au succès de *La Tour de Nesle*

Got (l'abbé) dans *Il ne faut jurer de rien*.

trouve un écho significatif et amusant dans *Il ne faut jurer de rien*. En effet, Musset relate le retentissement réel de ce drame pour étayer l'argumentaire de Valentin. Le dramaturge utilise donc des références qui ancrent les personnages dans la bonne société parisienne, celle qui sort, qui va au bal, au théâtre, au concert.

Sur un autre plan, Musset dépeint une noblesse très soucieuse des convenances : la baronne est littéralement accaparée par des détails domestiques. La peinture sociale s'accompagne ici d'une dimension satirique qui donne son sens au proverbe. Pour rien au monde la mère de Cécile n'abandonnerait sa partie de whist ou renoncerait à la réception où elle a convié tout le faubourg Saint-Germain ! Le comique repose ainsi sur le décalage entre la valeur exagérée accordée aux règles de civilité et les événements plus importants qui s'ourdissent. La peinture de la société réside dans des choix réalistes, facilement vérifiables. La pièce fourmille de détails qui offrent un tableau vivant de la société de la monarchie de Juillet. Les allusions à l'homéopathie, découverte en 1835 (I, 2), à l'engouement pour les cures (I, 2) et à la crise algérienne qui éclate en 1830 (I, 1) ancrent véritablement la pièce dans son temps. L'œuvre de Musset distille ainsi des renseignements très précieux pour qui s'intéresse à la société de 1830.

Les jeux, la fête, ou les lois du hasard…

Le proverbe est également soucieux des détails concrets qui concernent le jeu et les divertissements. Les cartes forment ainsi un véritable pendant au jeu de l'amour qui se trame entre Valentin et Cécile. Dès la première apparition de la baronne, elles constituent une activité mondaine du quotidien. Ces jeux de société, au sens propre, prévalent sur le reste. Signes visibles d'une époque oisive et révolue, les cartes sont aussi des symboles de hasards, de coïncidences, de stratagèmes… La présence de « vrais jeux » constitue un subtil écho aux plans romanesques de Valentin. La peinture sociale, esquissée par Musset, dépasse donc la fonction comique, critique ou satirique et s'inscrit dans une réflexion plus large sur le destin, le hasard, la providence. Les cartes sont le symbole de ce hasard, et d'ailleurs, dans *Il ne faut jurer de rien*, on ne peut jamais terminer une partie sans être dérangé par un événement ! Comme l'indique le titre du proverbe, il faut s'attendre à tout. En amour comme dans les jeux de société, des renversements se produisent. À la fin, on compte les points des vainqueurs et les pertes des vaincus.

La pièce est traversée par l'idée de fête, qui accompagne l'intrigue. Mais comme pour les cartes, les projets festifs sont sans cesse interrompus dans leur réalisation. La première scène entre l'oncle et le neveu constitue une évocation piquante des frasques de Valentin ; le récit de sa vie parisienne est un florilège de plaisirs (le bal, le théâtre, la valse). Dès la scène 2, l'intrigue s'élabore autour de la « vraie fausse » rencontre entre Valentin et Cécile, présentation « manquée » qui fait écho aux élans romanesques de Valentin. Viennent ensuite les préparatifs de la réception organisée par la baronne, qui, eux aussi, sont mis en péril et entravés dans leur bon déroulement. Enfin, au dernier acte, les joyeuses conséquences du repas trop arrosé révèlent au lecteur la vraie nature de Van Buck : celle d'un bon vivant amateur de plaisirs et de fêtes. Tout le proverbe est donc égayé par l'effervescence qu'engendrent les préparatifs d'une cérémonie, l'excitation de l'attente ; mais en même temps cette urgence festive est sans cesse remise en cause par des événements inattendus. Dans la pièce, si l'idée de fête est toujours présente, elle est « en sursis » ; elle préfigure néanmoins les joyeuses noces de Valentin et de Cécile. Qu'il s'agisse des jeux de cartes ou des projets de divertissements, le hasard et l'imprévu, maîtres mots du proverbe, font et défont les loisirs et les amusements de cette société. Dans une certaine mesure, ce hasard contrariant mais burlesque rend hommage, sur un mode différent, au *Mariage de Figaro* de Beaumarchais, dont l'intrigue accumule les imprévus et les péripéties* qui retardent les noces de Suzanne et de Figaro.

Portrait d'un dandy* en jeune homme

La première scène de l'acte I ne constitue pas seulement un témoignage sur la société de la monarchie de Juillet. Il s'agit d'une leçon de dandysme brillamment exposée par Musset. À travers Valentin, l'un de ses doubles littéraires, le dramaturge fait le portrait d'un jeune élégant. Or, le cabotinage de Valentin ne se définit pas uniquement par un goût très vif pour les gilets en soie et les cravates, mais comme un véritable art de vivre, venu tout droit d'Angleterre comme l'indique le mot « fashionable », entré dans la langue française assez récemment. Philosophe de l'oisiveté et du luxe, Valentin revendique haut et fort ce dandysme qu'il oppose à la conduite pragmatique de son oncle. L'influence anglaise, en matière de goût, est prégnante dans *Il ne faut jurer de rien*. Derrière l'élégance de Valentin se devine implicitement la figure emblématique de George Brummell (1778-1840), aristocrate anglais, maître dans l'art du bon goût et auquel des auteurs comme Jules Barbey d'Aurevilly ou Charles Baudelaire rendront hommage. Modèle des élégants sous la Restauration et la monarchie de Juillet, Brummell fit de nombreux épigones dont Valentin constitue l'une des incarnations littéraires.

Toutefois, le thème du dandysme n'a pas seulement une valeur anecdotique, caricaturale ou comique ; sa fonction dans le proverbe est plus subtile. Il renvoie le lecteur à Musset, dont les occupations parisiennes diffèrent peu de celles de Valentin : l'expérience du personnage en matière de dandysme est celle de son créateur ; le goût du héros pour le jeu, pour la séduction, le théâtre, le bal, la valse correspond à celui de Musset. Mais Valentin exprime aussi ses velléités. Ainsi, au moment où il publie *Il ne faut jurer de rien*, Musset rédige des nouvelles, très largement autobiographiques pour certaines, qui offrent de nombreuses figures de libertins*, doubles de Musset. *Les Deux Maîtresses*, par exemple, campent les frasques d'un autre Valentin, dandy qui finit par tomber amoureux d'une jeune femme. Mais ce thème du dandysme, qui transparaît surtout au début d'*Il ne faut jurer de rien*, est finalement vaincu par l'amour. Valentin rencontre les sentiments sur son parcours et range son dandysme au placard.

L'autoportrait que Musset réalise dans la scène 1 de l'acte I lui permet en fait d'introduire une distance ironique à l'égard de son personnage. Le dandysme de Valentin est d'autant mis en valeur qu'il s'oppose aux valeurs bourgeoises et aristocratiques, tout en revendiquant son appartenance à une caste privilégiée. Bien que de haute extraction, Valentin remet en cause les convenances de son rang. Son éthique, son mode de vie semblent quelque peu en contradiction avec ses paroles. Ainsi, son dandysme se manifeste davantage dans son goût pour le romanesque* que dans le mépris cynique affiché par les vrais dandys. On est tenté de conclure que le dandysme de Valentin reflète l'assagissement de son auteur, ou du moins un désir d'apaisement. À la provocation byronienne de Rolla, héros éponyme d'un poème de Musset qui préfère la révolte et le suicide aux compromis, Valentin choisit l'élégance parisienne, finalement plus confortable.

Le romanesque*

Truffée d'allusions littéraires, *Il ne faut jurer de rien* ne cesse de renvoyer son lecteur à d'autres fictions, dramatiques ou narratives. Un jeu d'allusions explicites ou cryptées crée un réseau de sens, jusque dans la dernière scène. Les références à la littérature accompagnent et justifient le comportement romanesque des personnages. Ainsi, le proverbe offre non seulement un discours sur la fiction littéraire (sur le roman notamment), mais il montre que la littérature sert de repères dans les agissements des personnages. Les héros de romans ou de drames constituent des modèles qui influencent Cécile et Valentin. Ce dernier parle et agit avec son expérience de lecteur. Mais Cécile n'est pas en reste : elle a lu Mme de Staël et sait placer sa référence à un moment crucial de l'échange (acte III, scène 4). Ainsi, le tempérament romanesque des jeunes héros est nourri de fictions, même si la réalité finit par l'emporter.

Personnages surgis de l'imagination de Musset, ils sont eux-mêmes les dupes de leur imaginaire de lecteur. À plusieurs reprises le roman *Clarisse Harlowe* de Richardson est évoqué, soulignant par un effet de miroir le caractère romanesque de l'intrigue. La motivation initiale de Valentin consiste à prouver à son oncle que toutes les femmes sont semblables et que le mariage est synonyme d'adultère. Mais le jeune homme agit également sous l'influence des fictions littéraires. Son oncle, finaud dans sa balourdise, le traite ainsi de Lovelace (acte III, scène 1), héros séducteur de *Clarisse Harlowe*. Or, dans la dernière scène, Valentin fait de nouveau référence au roman de Richardson, s'empêtrant dans une réflexion confuse qui trahit son trouble. Tout au long du proverbe, tous les clichés de mauvais roman sont utilisés : arrivée incognito et brutale, lettre d'amour, projet de rapt, fuite, etc. Cette référence au romanesque renvoie aussi aux mélodrames et aux romans noirs* de la seconde moitié du XVIIIe siècle dans lesquels une jeune fille est persécutée et poursuivie par ses ravisseurs. Mais Musset joue avec les clichés et les mine pour finalement les remettre en cause dans la dernière scène.

Le caractère romanesque d'*Il ne faut jurer de rien* est donc métadiscursif*. L'action du proverbe est remplie de surprises, de coups de théâtre* et d'entrées inopinées, à l'instar de certains romans qui multiplient les péripéties* les plus invraisemblables. Le bon sens de Cécile s'oppose au romanesque de Valentin, même si, comme elle l'avoue dans la dernière scène, elle reconnaît, elle aussi, avoir agi « comme dans un roman ». Dans une certaine mesure, Musset parodie aussi les drames de son temps. Ainsi, Valentin s'introduit auprès de Cécile de façon frénétique et par des moyens spectaculaires. Musset opte également pour la taverne, lieu qu'on retrouve dans de nombreuses pièces de l'époque. Ces deux détails font songer à *Antony* de Dumas (1831). Dans ce drame, le héros éponyme entre blessé chez celle qu'il aime et la retrouve, au dernier acte, dans une auberge… La pièce de Musset joue donc avec les clichés romanesques et romantiques. En ce sens, *Il ne faut jurer de rien* est aussi un élégant et subtil pied de nez à la littérature de son temps.

Déraisonner d'amour

Il ne faut jurer de rien explore une thématique chère à Musset, sous un angle sensiblement différent de ses pièces précédentes. Le refus des rencontres conventionnelles, la naissance et l'épanouissement du sentiment amoureux structurent la pièce. L'intrigue de départ est assez simple : un jeune homme refuse le mariage et finalement, après quelques péripéties, finit par entrer dans le rang. Pour accéder à cette heureuse issue, Valentin ressent le besoin de s'éprouver et multiplie lui-même les complications, comme dans les romans précieux du XVIIᵉ siècle. Rencontrer le véritable amour nécessite une certaine déraison, une fantaisie qui se manifeste dans les différents caprices et changements du jeune homme. Le véritable proverbe qui illustre la pièce n'est-il pas celui que prononce Valentin avant que la compagnie ne les rejoigne : « [...] il n'y a de vrai au monde que de déraisonner d'amour » ? Dans la pièce, tout le plaisir réside dans le jeu, dans le stratagème que Valentin ne cesse d'élaborer et d'improviser. Il est l'auteur d'un scénario dont il veut tenir le premier rôle. Or la déraison amoureuse de Valentin ne conduit pas l'intrigue vers une représentation tragique de l'amour mais vers une possibilité d'épanouissement. En cela *Il ne faut jurer de rien* diffère des pièces précédentes de Musset. L'amour est enfin envisagé sur le mode du possible – faut-il en incomber la responsabilité aux heureuses amours du poète avec Mme Jaubert ?

Dans *Il ne faut jurer de rien*, on badine toujours avec l'amour, mais on sait s'arrêter à temps. Contrairement à Octave (*Les Caprices de Marianne*), à Perdican (*On ne badine pas avec l'amour*), et même à Fantasio (*Fantasio*), Valentin accepte finalement le risque de l'engagement amoureux. Dans l'évolution esthétique de Musset, ce proverbe inaugure donc une nouvelle représentation du sentiment amoureux ; une vision moins tragique et moins pessimiste des sentiments se fait jour. De nombreux critiques ont en effet vu en *Il ne faut jurer de rien* une pièce apaisée. Qu'en est-il réellement ? Le caractère précaire et précipité du dénouement fait s'interroger sur le sens qu'il faut donner à la fable. La signification du proverbe est ambiguë : il faut s'attendre à tout et tout peut arriver, qu'il s'agisse d'un revirement aussi spectaculaire que celui de Valentin ou de la révélation de la fausse ingénuité de Cécile. La fin de la pièce laisse donc planer une incertitude puisqu'elle ouvre la porte à tous les possibles en matière de sentiments. C'est aussi la fragilité des certitudes qui fait le charme du proverbe. Certes, « il n'y a de vrai au monde que de déraisonner d'amour », mais avec le cœur, « il ne faut jurer de rien » !

LES THÈMES D'*UN CAPRICE*

Convenances et fantaisie

Un caprice met en scène un art de vivre à la française dans les années 1830-1840. Les convenances et les civilités sont sans cesse abordées de façon humoristique. Grâce au personnage de Mme de Léry, Musset joue à miner les codes de la société qu'il dépeint. Tout un système de règles affleure dans les échanges, notamment entre Mathilde et Chavigny. L'univers d'*Un caprice* semble ainsi très organisé, mais en apparence seulement. La jeune mariée sort du couvent ; elle se retire le soir dans ses appartements après avoir soupé en tête à tête avec son époux ; elle s'adonne à des travaux exclusivement féminins, elle brode et reçoit ses amies. Comme la baronne d'*Il ne faut jurer de rien*, elle participe à des œuvres de charité. De son côté, Chavigny a des occupations typiquement masculines : il joue, va seul au bal et, surtout, s'autorise des caprices. C'est un ancien militaire qui a parfois la rudesse de la fonction qu'il a occupée. En somme, Musset présente un couple assez traditionnel, mais dont les activités de sociabilité sont très différentes. Cette opposition liminaire ne renvoie pas seulement au cadre des conventions sociales de 1830, ni à un schéma de proverbe bien connu : elle marque la dichotomie, la séparation profonde entre hommes et femmes.

Cette distinction très nette entre univers masculin et féminin est remise en cause par Mme de Léry, dont l'indépendance à l'égard de sa situation de femme mariée est perceptible. Elle se moque assez ouvertement de M. de Léry, son époux :

« Aimez-vous ce renard-là ? on dit que c'est de la martre d'Éthiopie, je ne sais quoi ; c'est M. de Léry qui me l'a apporté de Hollande. Moi, je trouve ça laid, franchement ; je le porterai trois fois par politesse, et puis je le donnerai à Ursule » (scène 6, l. 8-12).

La censure ne s'y est pas trompée : cette réplique, jugée inconvenante à l'égard des « bonnes mœurs », a été supprimée lors de la représentation de 1847. Ernestine s'autorise en effet de nombreuses libertés. Cette indépendance justifie son impertinence à l'égard de Chavigny. Trouble-fête libérée des entraves qui pèsent sur la femme mariée, Mme de Léry subvertit les codes et s'en joue. D'un point de vue dramaturgique*, la manière dont Musset l'introduit révèle cette liberté : elle surgit vivement, ne sacrifie pas aux usages de la politesse, et pose d'emblée l'échange en termes de bel esprit et de joute verbale. Elle apparaît ainsi comme une rivale à la mesure de Chavigny.

Pour le spectateur, Mme de Léry représente aussi l'extérieur, le « hors-scène » : c'est à travers son regard que le monde parisien est décrit ; c'est dans ses propos que se dessinent les ridicules de la société de Louis-Philippe. Dandy* au féminin, elle est au fait de ce qui se dit et se pratique en matière de bon goût et de protocoles élégants. Son art du portrait efficace et incisif ajoute une dimension satirique* au proverbe. En ce sens, elle rappelle le personnage de Célimène du *Misanthrope* de Molière, qui tient tête à Alceste et lui répond avec bon sens et esprit. Son témoignage sur les aléas de la mode et sur les engouements du temps est systématiquement accompagné d'une pointe cynique. Par ses facéties, son caractère fantasque, elle contribue à la bonne humeur du propos ; mais par sa fantaisie légèrement désabusée, elle instaure un climat et une tonalité légèrement ambigus. Les implicites audacieux distillés dans sa description des robes abîmées (scène 3), le portrait qu'elle fait de la « queue » à l'entrée du bal confèrent au proverbe une malice licencieuse. C'est le dandysme au féminin et la justesse de ton de Mme de Léry qui stigmatisent le mieux les ridicules de son temps en les mettant narquoisement à distance.

La lucidité des femmes

Dans *Un caprice*, Musset se livre à un art qu'il maîtrise parfaitement : le portrait de jeunes femmes. Mathilde et Ernestine sont bien différentes, mais leur rencontre éclaire leurs personnalités respectives. Au-delà, la pièce délivre un discours très significatif sur le statut des femmes mariées autour de 1830. Mme de Léry est légèrement plus âgée que Mathilde, ce qui lui confère expérience et autorité. Elle est à la fois l'amie, la confidente, la grande sœur, la mère. Ce rapport rappelle, sur un registre plus léger et plus mondain, l'amitié entre Octave et Cœlio dans *Les Caprices de Marianne*. Dans les deux cas, l'aîné, lucide et un peu désabusé, porte conseil au plus jeune, crédule et attristé. Jeune femme sérieuse, Mathilde admire en Mme de Léry la liberté qu'elle n'ose pas s'accorder ; femme jeune et désenchantée, Ernestine admire en Mathilde l'amour qu'elle ne semble pas éprouver pour son mari. L'entente des deux héroïnes se transforme en connivence quand il s'agit d'éprouver Chavigny pour le faire entrer dans le droit chemin. Cette complicité est justifiée par une réplique d'Ernestine, dans laquelle elle explique sa connaissance des souffrances du cœur :

> « MADAME DE LÉRY. [...] Vous me croyez peut-être légère ; personne n'est si sérieux que moi pour les choses sérieuses. Je ne comprends pas qu'on joue avec le cœur, et c'est pour cela que j'ai l'air d'en manquer. Je sais ce que c'est que de souffrir, on me l'a appris bien jeune encore » (scène 6, l. 98-103).

Cette expérience douloureuse éclaire le cynisme et l'impertinence de Mme de Léry. Sa lucidité rappelle encore celle d'Octave qui avoue à Cœlio : « j'ai connu cela », quand son ami souffre des tourments de l'amour. Dans *Un caprice*, la force des deux jeunes femmes, et surtout d'Ernestine, se construit sur l'expérience de la souffrance. En ce sens, la peinture des deux figures féminines introduit dans le proverbe une autre dimension ; s'opère une réflexion sur le sort des femmes – celle-ci traverse d'ailleurs toute l'œuvre de Musset. Le nœud de l'intrigue se fonde sur les préoccupations sérieuses de Mathilde et de Mme de Léry. À quelle parole la femme mariée a-t-elle droit ? Si le ton est léger, le fond d'*Un caprice* est peut-être plus sombre. La souffrance présente de Mathilde est réelle : ce sont ses larmes, signe visible de chagrin, qui mettent la puce à l'oreille de Mme de Léry. Finalement Musset donne la parole au sexe « faible » ; et Ernestine domine toute la pièce par son bon sens. Elle exprime à Chavigny le droit de comprendre pourquoi les hommes ont des désirs auxquels elles, les femmes, ne peuvent accéder. La lucidité féminine l'emporte sur la frivolité masculine.

En définitive, Mathilde pourrait être Ernestine quelques années plus tôt. À travers ce double portrait, Musset utilise l'idéalisme crédule d'une jeune femme qui croit en l'amour pour mettre en valeur le réalisme un peu cruel de celle qui y a jadis cru. La lucidité piquante de Mme de Léry sauve Mathilde et la sauve elle-même de la tentation du caprice. La victoire du bon sens féminin sur l'orgueil masculin est patente. Sans être un dramaturge ni engagé ni féministe, Musset montre donc la supériorité de la femme sur l'homme à tous les niveaux, intellectuel, spirituel ou moral. Chavigny est tourné en ridicule, il est le dindon de la farce. La morale vient de la « cervelle fêlée » de Mme de Léry, qui, au départ, semblait avoir le moins de moralité. La petite humiliation que subit Chavigny est un faire-valoir pour les deux jeunes femmes et, dans une certaine mesure, une leçon de vie infligée à « messieurs les maris » (Molière, *George Dandin*). Mme de Léry, ce « jeune curé qui fait les meilleurs sermons », appartient à la race des femmes intelligentes du théâtre de Musset. Marianne, Camille, Jacqueline, Cécile de Mantes, Mme de Léry et la marquise sont autant de jeunes personnes qui « font la nique » aux hommes et n'entendent pas qu'on leur dicte leur conduite.

La première épreuve de l'amour

Sur le mode de la conversation, *Un caprice* illustre le thème de la fidélité en amour. Dans sa pièce, Musset s'interroge sur la liberté respective de l'homme et de la femme à l'intérieur du couple. Il confronte ainsi plusieurs points de vue sur l'amour, le mariage et ses contraintes. Pour Chavigny, être marié n'empêche pas le caprice. Selon lui, l'homme est le seul à pouvoir s'autoriser ces fredaines ; son attitude quelque peu misogyne est battue en brèche par Mme de Léry qui lui prouve par l'exemple que les femmes aussi peuvent avoir des béguins passagers. Bien que la définition exacte du terme ne soit jamais vraiment donnée, le caprice désigne une amourette, une foucade sans importance. En contrepoint, le caprice permet à Musset d'aborder une nouvelle fois un thème qui lui est cher, celui de la parole amoureuse.

Dans le proverbe, le caprice ne prend sens que dans le cadre d'un interdit moral ou sentimental, celui du mariage. Pour Chavigny, le caprice n'est ni véritablement une infidélité, ni un adultère. Il conçoit ainsi qu'un homme peut en avoir, et qu'une femme en a quelquefois (sc. 8, l. 124). Béguin, flirt, engouement sans importance, le caprice constitue la petite faiblesse de l'homme marié, un péché véniel. Pour Mathilde, au contraire, le caprice d'Henri pour Mme de Blainville signifie le désamour, le désaveu, le désengagement. Le proverbe montre ainsi un décalage de perception : ce qui paraît anodin à l'époux est grave pour l'épouse. Aussi la longue conversation entre Mme de Léry et Chavigny (scène 8) ne constitue-t-elle ni un éloge du mariage, ni une défense et illustration du caprice amoureux, mais une réflexion sur le sens et la valeur qu'on accorde aux actes.

L'enjeu du proverbe dépasse donc la promesse faite à Mathilde de ramener Chavigny à de meilleures dispositions. Ernestine dit implicitement que les femmes et les hommes doivent être égaux face aux sentiments. La liberté d'aimer, thématique essentielle de toute l'œuvre de Musset, est ici évoquée sous un angle original et légèrement équivoque. Mme de Léry n'est pas seulement une entremetteuse : elle accepte le jeu de la séduction et du caprice pour mieux dominer Chavigny. Mais Musset ne se veut pas édificateur ; il illustre d'une manière ludique et spirituelle le constat formulé par Perdican dans *On ne badine pas avec l'amour* : « Tous les hommes sont menteurs, inconstants, faux, bavards, hypocrites, orgueilleux et lâches, méprisables et sensuels. » L'amende honorable que fait Chavigny à la fin du proverbe nuance cette vision pessimiste. L'image de la femme et du couple a évolué dans l'imaginaire de Musset. Mathilde est pure et sincère et Mme de Léry n'est « artificieuse » et « vaniteuse » qu'en apparence. Son attitude à la fin de la scène 8 prouve qu'elle n'est pas « dépravée », même si certains détails montrent qu'elle n'est pas insensible au charme de Chavigny...

À aucun moment de la pièce Mme de Léry ne pose un interdit moral contre les caprices, mais elle accorde à l'amour qu'éprouve Mathilde une admiration bien supérieure à la frivolité d'une amourette. Son petit jeu avec les bourses bleu et rouge prend ici un sens symbolique. Le rouge ardent de Mathilde vaut bien plus que le bleu « perruquier » de Mme de Blainville. En matière de sentiments, *Un caprice* consacre le triomphe de l'amour et un certain retour à l'ordre. En ce sens, la pièce s'inscrit dans l'œuvre de Musset comme une étape cruciale dans sa réflexion sur les sentiments. De manière moins ambiguë que dans ses pièces précédentes, Musset dépeint l'amour apaisé ; l'harmonie retrouvée après l'épreuve. L'union de Mathilde et de Chavigny n'est pas un échec. Le mariage, malgré ses aléas, est synonyme d'amour. Toute la finesse de Musset consiste à ne pas verser dans la morale bourgeoise. En dépit de l'heureux dénouement, le dramaturge distille de légères ambiguïtés, et prend plaisir à mettre en scène la séduction de Chavigny et de Mme de Léry. Finalement, un voile légèrement sulfureux tombe sur les amours de Mathilde : c'est le rideau du théâtre, du même rouge ardent, peut-être, que la bourse de Chavigny.

D'AUTRES TEXTES

Jeux de séduction

- Molière, *George Dandin*, 1668.
- Musset, *L'Habit vert*, 1849.
- Marivaux, *L'Île des esclaves*, 1725.
- Crébillon, *Les Égarements du cœur et de l'esprit*, 1736-1738.

MOLIÈRE, *GEORGE DANDIN*, 1668

Les risques du mariage

George Dandin est une comédie amère qui met en scène les conséquences d'un mariage mal assorti. George Dandin, paysan enrichi, a épousé Angélique, une jeune aristocrate. Mais celle-ci méprise son mari et lui préfère un jeune seigneur, Clitandre. Lubin, valet de Dandin, est amoureux de Claudine, servante d'Angélique. L'exemple de l'échec du mariage de sa maîtresse fait réfléchir Claudine à la tyrannie des maris.

« LUBIN. Ne parlons plus de cela. Écoute.

CLAUDINE. Que veux-tu que j'écoute ?

LUBIN. Tourne un peu ton visage devers moi.

CLAUDINE. Hé bien, qu'est-ce ?

LUBIN. Claudine.

CLAUDINE. Quoi ?

LUBIN. Hé ! là, ne sais-tu pas bien ce que je veux dire ?

CLAUDINE. Non.

LUBIN. Morgué ! je t'aime.

CLAUDINE. Tout de bon ?

LUBIN. Oui, le diable m'emporte ! tu me peux croire, puisque j'en jure.

CLAUDINE. À la bonne heure.

LUBIN. Je me sens tout tribouiller le cœur quand je te regarde.

CLAUDINE. Je m'en réjouis.

LUBIN. Comment est-ce que tu fais pour être si jolie ?

CLAUDINE. Je fais comme font les autres.

LUBIN. Vois-tu, il ne faut point tant de beurre pour faire un quarteron : si tu veux, tu seras ma femme, je serai ton mari, et nous serons tous deux mari et femme.

CLAUDINE. Tu serais peut-être jaloux comme notre maître.

LUBIN. Point.

CLAUDINE. Pour moi, je hais les maris soupçonneux, et j'en veux un qui ne s'épouvante de rien, un si plein de confiance, et si sûr de ma chasteté, qu'il me vît sans inquiétude au milieu de trente hommes.

LUBIN. Hé bien ! je serai tout comme cela.

CLAUDINE. C'est la plus sotte chose du monde que de se défier d'une femme, et de la tourmenter. La vérité de l'affaire est qu'on n'y gagne rien de bon : cela nous fait songer à mal, et ce sont souvent les maris qui, avec leurs vacarmes, se font eux-mêmes ce qu'ils sont.

LUBIN. Hé bien ! je te donnerai la liberté de faire tout ce qu'il te plaira.

CLAUDINE. Voilà comme il faut faire pour n'être point trompé. Lorsqu'un mari se met à notre discrétion, nous ne prenons de liberté que ce qu'il nous en faut, et il en est comme avec ceux qui nous ouvrent leur bourse et nous disent : "Prenez." Nous en usons honnêtement, et nous nous contentons de la raison. Mais ceux qui nous chicanent, nous nous efforçons de les tondre, et nous ne les épargnons point.

LUBIN. Va, je serai de ceux qui ouvrent leur bourse, et tu n'as qu'à te marier avec moi.

CLAUDINE. Hé bien, bien, nous verrons. »

MOLIÈRE, *George Dandin*, acte II, scène 1, 1668.

QUESTIONS

1. Relevez les différents arguments de Lubin pour séduire Claudine ? Que pensez-vous de ces arguments ?

2. Pourquoi Claudine montre-t-elle des réticences envers le mariage ? Justifiez votre réponse.

3. Analysez le comique de la scène. Sur quels procédés repose-t-il principalement ?

MUSSET, *L'HABIT VERT*, 1849

« La belle chose que l'amour ! »

Dans ce proverbe, écrit en collaboration avec Émile Augier, Musset campe quatre personnages qui vivent sur le même palier. Deux étudiants, Raoul et Henri, partagent une modeste chambre. Ils ont pour voisine la charmante Marguerite, travailleuse et vertueuse. Henri, un jeune peintre sans succès, est sorti pour vendre un paravent qui représente une scène de *Roméo et Juliette*. Raoul profite de l'absence de son ami pour tenter de séduire Marguerite…

« RAOUL. […] Mais que chantiez-vous donc tout à l'heure ?

MARGUERITE. Une romance ou une chanson, comme il vous plaira.

RAOUL. Les deux me plaisent, car cela ressemblait à *Jean qui pleure et Jean qui rit*. Une larme qui court dans le pli d'un sourire, quoi de plus charmant ? Chantez-moi cela, je vous prie.

MARGUERITE. Je ne suis pas en train, on m'a coupé la voix.

RAOUL. Qui donc ?

MARGUERITE. Ce pauvre paravent qui va vous chercher à dîner.

RAOUL. Vous m'y faites songer ; voulez-vous monter en carrosse avec nous ? nous allons à Chaville.

MARGUERITE. Vous m'invitez ?

RAOUL. Je vous invite positivement.

MARGUERITE. Et avec quoi, mon Dieu ?

RAOUL. Avec toute la courtoisie dont je suis capable.

MARGUERITE. Hélas ! on ne fait plus crédit là-dessus.

RAOUL. Et pour quoi comptez-vous notre paravent, s'il vous plaît ? un paravent superbe qu'Henri a peint, une œuvre d'art, que nous allons troquer contre son pesant d'or.

MARGUERITE. Vous croyez ?

RAOUL. Parbleu ! il représente Roméo et Juliette.

MARGUERITE. C'est le sujet de ma chanson. Oui, monsieur. Roméo et Juliette, ni plus ni moins. Vous connaissez l'histoire. Il s'en va ce jeune homme ! il quitte sa maîtresse, il a un pied sur l'échelle de soie, ça lui fait de la peine et il dit... M'écoutez-vous ?

RAOUL, *qui s'est assis à cheval sur une chaise à droite.* Je suis au balcon des Italiens... Eh bien, il lui dit ?

Marguerite chante.

AIR

L'heure a sonné... pourtant ta main
Est encore dans la mienne ;
Il est déjà presque demain...
De moi qu'il te souvienne !
Épargne-moi : ne pleure pas...
Je pars, voici l'aurore,
Non, Margot, pas encore (*bis*)
Souffrir tant que tu voudras ;
Mais dire adieu, je ne sais pas.

RAOUL, *applaudissant.* Bravo ! bravo ! Si je vous dis que vous êtes charmante, ça me fera ressembler à tout le monde. (*Se levant.*) Mais, dites donc, dans cet air-là, au lieu du nom de Juliette, il me semble qu'il y a Margot, mademoiselle Marguerite... Tant mieux pour Roméo, s'il existe !

MARGUERITE. En musique et en peinture seulement.

RAOUL. Tant mieux encore. J'aurais été fâché que la place fût prise.

MARGUERITE. Vous allez me parler d'amour, je suppose.

RAOUL. J'en conviens.

MARGUERITE. À quoi bon ?

RAOUL. Quand cela ne servirait qu'à intéresser le jeu.

MARGUERITE. Bah ! il sera si court, qu'il n'aura pas le temps de nous ennuyer.

RAOUL. Qu'importe ! Nous sommes deux ; il ne sera pas dit que nous n'aurons pas parlé d'amour. La belle collaboration ! le beau chef-d'œuvre !

MARGUERITE. Est-ce que vous tenez à faire un chef-d'œuvre ?

RAOUL. Point ; mais à collaborer. Quel plaisir plus divin qu'une conversation d'amour ! Ô Juliette ! pourquoi pensez-vous que le bon Dieu ait fait le soleil, les bois et le dimanche, sinon pour que deux jeunes gens marchent sur l'herbe et baissent les yeux en se disant qu'ils s'aiment ? Oh ! la belle chose que l'amour ! »

Alfred de MUSSET et Émile AUGIER, *L'Habit vert*, scène 3, 1849.

QUESTIONS

1. Relevez les procédés comiques de la scène. Comment peut-on expliquer leur présence dans une scène de séduction ?

2. Qu'apporte la romance de Margot à la situation ? Quel est l'effet produit sur Raoul ?

3. Dans quelle mesure cette scène parodie-t-elle la scène du balcon de *Roméo et Juliette* de Shakespeare ?

MARIVAUX, *L'ÎLE DES ESCLAVES*, 1725

Séduction masquée, séduction manquée

Dans *L'Île des esclaves*, Marivaux invente un univers où, dans le cadre d'un naufrage, les maîtres échangent leur condition avec leurs valets. Arlequin, devenu maître, tente de séduire Euphrosine devenue servante.

« ARLEQUIN. Vous me trouvez un peu nigaud, n'est-il pas vrai ? mais cela se passera ; c'est que je vous aime, et que je ne sais comment vous le dire.

EUPHROSINE. Vous ?

ARLEQUIN. Eh pardi oui ; qu'est-ce qu'on peut faire de mieux ? Vous êtes si belle, il faut bien vous donner son cœur, aussi bien vous le prendriez de vous-même.

EUPHROSINE. Voici le comble de mon infortune.

ARLEQUIN, *lui regardant les mains.* Quelles mains ravissantes ! les jolis petits doigts ! que je serais heureux avec cela ! mon petit cœur en ferait bien son profit. Reine, je suis bien tendre, mais vous ne voyez rien ; si vous aviez la charité d'être tendre aussi, oh ! je deviendrais fou tout à fait.

EUPHROSINE. Tu ne l'es déjà que trop.

ARLEQUIN. Je ne le serai jamais tant que vous en êtes digne.

EUPHROSINE. Je ne suis digne que de pitié, mon enfant.

ARLEQUIN. Bon, bon, à qui est-ce que vous contez cela ? vous êtes digne de toutes les dignités imaginables : un empereur ne vous vaut pas, ni moi non plus : mais me voilà, moi et un empereur n'y est pas et un rien qu'on voit vaut mieux que quelque chose qu'on ne voit pas. Qu'en dites-vous ?

EUPHROSINE. Arlequin, il me semble que tu n'as point le cœur mauvais.

ARLEQUIN. Oh ! il ne s'en fait plus de cette pâte-là, je suis un mouton.

EUPHROSINE. Respecte donc le malheur que j'éprouve.

ARLEQUIN. Hélas ! je me mettrais à genoux devant lui.

EUPHROSINE. Ne persécute point une infortunée, parce que tu peux la persécuter impunément. Vois l'extrémité où je suis réduite ; et si tu n'as point d'égard au rang que je tenais dans le monde, à ma naissance, à mon éducation, du moins que mes disgrâces, que mon esclavage, que ma douleur t'attendrissent. Tu peux ici m'outrager autant que tu le voudras ; je suis sans asile et sans défense, je n'ai que mon désespoir pour tout secours, j'ai besoin de la compassion de tout le monde, de la tienne même, Arlequin ; voilà l'état où je suis, ne le trouves-tu pas assez misérable ? tu es devenu libre et heureux, cela doit-il te rendre méchant ? Je n'ai pas la force de t'en dire davantage ; je ne t'ai jamais fait de mal, n'ajoute rien à celui que je souffre. (*Elle sort.*)

ARLEQUIN, *abattu, les bras abaissés, et comme immobile.* J'ai perdu la parole. »

MARIVAUX, *L'Île des esclaves*, scène 8, 1725.

QUESTIONS

1. Quels sont les arguments avancés par Arlequin pour séduire Euphrosine ?

2. Selon vous, qui domine la scène ? Qui en sort victorieux ?

3. Étudiez les didascalies* de la scène. Que révèlent-elles ?

CRÉBILLON, *LES ÉGAREMENTS DU CŒUR ET DE L'ESPRIT*, 1736-1738

Une déclaration indirecte

Le jeune Meilcour, héros et narrateur, relate son apprentissage du libertinage*. Dans ce passage, l'évocation d'une comédie que les protagonistes ont vue sert de prétexte au jeu de la séduction.

« Je fus un quart d'heure auprès de Mme de Lursay, sans lui rien dire : elle imitait ma taciturnité[1], et quelque désir qu'elle eût de me parler, elle ne savait comment rompre le silence. Cependant une comédie qu'on jouait alors, et avec succès, lui en fournit l'occasion. Elle me demanda si je l'avais vue : je lui répondis que oui. L'intrigue, dit-elle, ne m'en paraît pas neuve, mais j'en aime assez les détails : elle est noblement écrite, et les sentiments y sont bien développés. N'en pensez-vous pas comme moi ? Je ne me pique pas d'être connaisseur, répondis-je. En général elle m'a plu ; mais j'aurais peine à bien parler de ses beautés et de ses défauts. Sans avoir du théâtre une connaissance parfaite, on peut, reprit-elle, décider sur certaines parties ; le sentiment par exemple en est une sur laquelle on ne se trompe point : ce n'est pas l'esprit qui juge, c'est le cœur ; et les choses intéressantes remuent également les gens bornés, et ceux qui ont le plus de lumières. J'ai trouvé dans cette pièce des endroits touchés avec art : il y a surtout une déclaration d'amour qui à mon sens est extrêmement délicate, et c'est un des morceaux que j'en estime le plus. Il m'a frappé comme vous, répondis-je, et j'en sais d'autant plus de gré à l'auteur,

---

1. **Taciturnité** : silence.

que je crois cette situation difficile à bien manier. Ce ne serait pas par là que je l'estimerais, reprit-elle : dire qu'on aime est une chose qu'on fait tous les jours, et fort aisément ; et si cette situation a de quoi plaire, c'est moins par son propre fonds, que par la façon neuve dont elle est traitée. Je ne serais pas entièrement de votre avis, Madame, répondis-je ; et je ne crois pas qu'il soit facile de dire qu'on aime. Je suis persuadée, dit-elle, que cet aveu coûte à une femme : mille raisons, que l'amour ne peut absolument détruire, doivent le lui rendre pénible ; car, vous n'imaginez pas sans doute, qu'un homme risque quelque chose à le faire. Pardonnez-moi, Madame, lui dis-je : c'était précisément ce que je pensais. Je ne trouve rien de plus humiliant pour un homme, que de dire qu'il aime. C'est dommage, assurément, reprit-elle, que cette idée soit ridicule ; par sa nouveauté peut-être elle ferait fortune. Quoi ! il est humiliant pour un homme de dire qu'il aime ! Oui, sans doute, dis-je, quand il n'est pas sûr d'être aimé. Et comment, reprit-elle, voulez-vous qu'il sache s'il est aimé ? L'aveu qu'il fait de sa tendresse peut seul autoriser une femme à y répondre. Pensez-vous, dans quelque désordre qu'elle sentît son cœur, qu'il lui convînt de parler la première, de s'exposer à cette démarche à se rendre moins chère à vos yeux, et à être l'objet d'un refus ? Bien peu de femmes, répondis-je, auraient à craindre ce que vous dites. Toutes, reprit-elle, auraient à le craindre, si elles se mettaient dans le cas de vous devancer ; et vous cesseriez de sentir du goût pour celles qui vous en auraient inspiré le plus, dans l'instant qu'elle vous offrirait une conquête aisée. »

Crébillon fils, *Les Égarements
du cœur et de l'esprit*, Ire partie, 1736-1738.

QUESTIONS

1. Qui prend l'initiative de la séduction ? De quelle façon ?

2. Selon vous, ce dialogue pourrait-il figurer dans une comédie* ?

3. Relisez attentivement la dernière intervention de Mme de Lursay. Qu'en concluez-vous sur sa conception de l'échange amoureux ?

QUESTIONS D'ENSEMBLE

1. Dans ces quatre textes, qui prend l'initiative de la séduction ? Pour quelles raisons ?

2. Étudiez dans les trois textes dramatiques (Molière, Musset et Marivaux) le rôle des mouvements et des gestes. Quelle place tiennent-ils dans la conquête amoureuse ?

3. Observez les différentes sources du comique dans les trois textes dramatiques. Classez et commentez ces procédés comiques.

4. Dans quelle mesure le texte 4 éclaire-t-il le sens des trois textes précédents ?

Le héros romantique au théâtre

- Hugo, *Hernani*, 1830.
- Vigny, *Roméo et Juliette*, 1828.
- Musset, *Lorenzaccio*, 1834.
- Dumas, *Antony*, 1831.

HUGO, *HERNANI*, 1830

Le maudit

Tout s'oppose à la passion d'Hernani pour doña Sol : le vieillard don Ruy Gomez, le roi don Carlos, sa situation de proscrit. Déguisé en pèlerin de Saint-Jacques-de-Compostelle, il s'introduit dans le palais de don Ruy et s'adresse avec violence et dépit à sa bien-aimée.

« Monts d'Aragon ! Galice ! Estramadoure !
Oh ! Je porte malheur à tout ce qui m'entoure ! –
J'ai pris vos meilleurs fils, pour mes droits ; sans remords
Je les ai fait combattre, et voilà qu'ils sont morts !
C'étaient les plus vaillants de la vaillante Espagne
Ils sont morts ! ils sont tous tombés dans la montagne,
Tous sur le dos couchés, en brave, devant Dieu,
Et, si leurs yeux s'ouvraient, ils verraient le ciel bleu !
Voilà ce que je fais de tout ce qui m'épouse !
Est-ce une destinée à te rendre jalouse ?
Dona Sol, prends le duc, prends l'enfer, prends le roi !
C'est bien. Tout ce qui n'est pas moi vaut mieux que moi !
Je n'ai plus un ami qui de moi se souvienne,
Tout me quitte ; il est temps qu'à la fin ton jour vienne,
Car je dois être seul. Fuis ma contagion.
Ne te fais pas d'aimer une religion !
Oh ! par pitié pour toi, fuis !... Tu me crois, peut-être,
Un homme comme sont tous les autres, un être
Intelligent, qui court droit au but qu'il rêva.

Détrompe-toi. Je suis une force qui va !
Agent aveugle et sourd des mystères funèbres !
Une âme de malheur faite avec des ténèbres !
Où vais-je ? je ne sais pas. Mais je me sens poussé
D'un souffle impétueux, d'un destin insensé.
Je descends, je descends et jamais ne m'arrête.
Si, parfois, haletant, j'ose tourner la tête,
Une voix me dit : Marche ! et l'abîme est profond,
Et de flamme et de sang je le vois rouge au fond !
Cependant, à l'entour de ma course farouche,
Tout se brise, tout meurt. Malheur à qui me touche !
Oh ! fuis ! détourne-toi de mon chemin fatal !
Hélas ! sans le vouloir, je te ferais du mal. »

Victor HUGO, *Hernani*, III, 4, 1830.

QUESTIONS

1. Relevez le champ lexical de la mort. Que traduit-il ?
2. Observez la ponctuation. Dans quel état d'esprit Hernani se trouve-t-il ?

VIGNY, *ROMÉO ET JULIETTE*, 1828

L'amour à mort

Dans ce fragment en vers, librement inspiré de Shakespeare, Vigny décrit la douleur de Roméo. Juliette a été mise au tombeau après avoir pris un narcotique pour échapper aux noces voulues par ses parents. Roméo découvre ainsi celle qu'il a secrètement épousée : il la croit morte. Dans cette ultime rencontre, quelques instants avant de boire le poison, il lui témoigne son amour passionné et désespéré.

« ROMÉO, *seul.*
C'est là qu'ils l'ont placée – ô mon amour, ma femme !
La mort en emportant ton souffle avec ton âme
N'a pas eu de pouvoir encor sur ta beauté.

Jusque dans ton cercueil ton trésor t'est resté.
Non, tu n'es pas conquise, et l'ombre où tu reposes
De ta bouche adorée a conservé les roses.
Devant tant de beauté le trépas recula,
Et son pâle étendard ne va pas jusque-là.
Ô Juliette, hélas ! comment es-tu si belle ?
Le spectre de la mort qui près de lui t'appelle,
Préparant sous la tombe un hymen monstrueux,
De sa belle victime est-il donc amoureux ?
Je lui disputerai ses voluptés funèbres.
Et Roméo, couché dans ce lit de ténèbres,
Va pour l'éternité dormir, ô mes amours,
Avec les vers chargés du soin de tes atours.
Ici je veux rester et voir tes sombres voiles
Arracher mes destins au pouvoir des étoiles,
Que mon corps se repose enfin dans le trépas.
Mes yeux, jetez sur elle un regard ; ô mes bras,
Pour la dernière fois, soulevez ma maîtresse ;
Mes lèvres, sur ce front, entre sa double tresse,
Par un sombre baiser, scellez avec effort
Le pacte illimité de l'homme avec la mort. »

Alfred de VIGNY, *Roméo et Juliette*, d'après Shakespeare, acte V, 1828.

QUESTIONS

1. Quels procédés mettent en valeur le lien de l'amour et de la mort ?

2. Roméo s'adresse aux différentes parties de son corps. Que signifient ces différentes interpellations ?

MUSSET, *LORENZACCIO*, 1834

Le salut dans le crime

Lorenzo, que l'on surnomme ironiquement Lorenzaccio, a décidé de tuer le duc Alexandre de Médicis. Pour réaliser son projet, il a accepté toutes les formes du vice : il a corrompu son âme. Le drame de Musset – peut-être le seul véritable drame romantique ? – pose la question de l'action humaine et de son sens.

« LORENZACCIO. Tu me demandes pourquoi je tue Alexandre ? Veux-tu donc que je m'empoisonne, ou que je saute dans l'Arno ? veux-tu donc que je sois un spectre, et qu'en frappant sur ce squelette… (*Il frappe sa poitrine.*) il n'en sorte aucun son ? Si je suis l'ombre de moi-même, veux-tu donc que je rompe le seul fil qui rattache aujourd'hui mon cœur à quelques fibres de mon cœur d'autrefois ! Songes-tu que ce meurtre, c'est tout ce qui me reste de ma vertu ? Songes-tu que je glisse depuis deux ans sur un rocher taillé à pic, et que ce meurtre est le seul brin d'herbe où j'ai pu cramponner mes ongles ? Crois-tu donc que je n'aie plus d'orgueil, parce que je n'ai plus de honte, et veux-tu que je laisse mourir en silence l'énigme de ma vie ? Oui, cela est certain, si je pouvais revenir à la vertu, si mon apprentissage du vice pouvait s'évanouir, j'épargnerais peut-être ce conducteur de bœuf[1] – mais j'aime le vin, le jeu et les filles, comprends-tu cela ? Si tu honores en moi quelque chose, toi qui me parles, c'est mon meurtre que tu honores, peut-être justement parce que tu ne le ferais pas. Voilà assez longtemps, vois-tu, que les républicains me couvrent de boue et d'infamie ; voilà assez longtemps que les oreilles me tintent, et que l'exécration des hommes empoisonne le pain que je mâche. J'en ai assez de me voir conspué par des lâches sans nom, qui m'accablent d'injures pour se dispenser de m'assommer, comme ils le devraient. J'en ai assez d'entendre brailler en plein vent le bavardage humain ; il faut que le monde sache un peu qui je suis, et qui il est. Dieu merci, c'est peut-être demain que je tue Alexandre : dans deux jours j'aurai fini. »

Alfred de MUSSET, *Lorenzaccio*, acte III, scène 3, 1834.

1. Relevez les différentes métaphores* que Lorenzo utilise pour décrire son état présent. Qu'en concluez-vous ?

2. Sa tirade est-elle idéaliste ou pessimiste ? Justifiez votre réponse.

---

1. Il désigne le duc Alexandre de Médicis.

Amour fou

Après deux ans d'absence, Antony revient à Paris avec l'espoir de reconquérir celle qu'il n'a jamais cessé d'aimer passionnément : Adèle d'Hervey. Mais entre-temps, celle-ci s'est mariée et a eu un enfant. Se sentant menacée par la violence de son ancien amant, Adèle fuit Paris vers l'Est. Mais Antony la poursuit. Il loue une chambre dans la même auberge qu'elle. Son monologue annonce l'issue tragique du drame…

« ANTONY, *violent et ténébreux*. […] Elle vient, s'applaudissant de m'avoir trompé, et, dans les bras de son mari, elle lui racontera tout ; … elle lui dira que j'étais à ses pieds… oubliant mon nom d'homme et rampant ; elle lui dira qu'elle m'a repoussé ; puis, entre deux baisers, ils riront de l'insensé Antony, d'Antony le bâtard ! … Eux rire !… mille démons ! (*Il frappe la table de son poignard, et le fer y disparaît presque entièrement. Riant.*) Elle est bonne, la lame de ce poignard ! (*Se levant et courant à la fenêtre.*) Louis part enfin… Qu'elle arrive maintenant… rassemblez donc toutes les facultés de votre être pour aimer ; créez-vous un espoir de bonheur, qui dévore à jamais tous les autres ; puis venez, l'âme torturée et les yeux en pleurs, vous agenouiller devant une femme ! voilà tout ce que vous en obtiendrez… Dérision et mépris… ! Oh ! si j'allais devenir fou avant qu'elle n'arrivât !… Mes pensées se heurtent, ma tête brûle… Où y a-t-il du marbre pour poser mon front ?… Quand je pense qu'il ne faudrait, pour sortir de l'enfer de cette vie, que la résolution d'un moment, qu'à l'agitation de la frénésie peut succéder en une seconde le repos du néant, que rien ne peut, même la puissance de Dieu, empêcher que cela ne soit, si je le veux… Pourquoi donc ne le voudrais-je pas ?… Est-ce un mot qui m'arrête ? … Suicide ! Certes quand Dieu a fait, des hommes, une loterie au profit de la mort, et qu'il n'a donné à chacun d'eux que la force de supporter une certaine quantité de douleurs, il a dû penser que cet homme succomberait sous le fardeau, alors que le fardeau dépasserait ses forces... Et d'où vient que les malheureux ne pourraient pas rendre malheur pour malheur ? »

Alexandre DUMAS père, *Antony*, acte III, scène 3, 1831.

QUESTIONS

1. Étudiez la ponctuation du monologue. Qu'exprime-t-elle ?

2. Relevez les différents termes ou gestes qui traduisent la « frénésie » d'Antony.

Travaux d'écriture

QUESTIONS D'ENSEMBLE

1. Quels champs lexicaux et sémantiques dominent dans les quatre textes ? Justifiez votre réponse.

2. À partir de la lecture des quatre textes de ce second corpus, vous tenterez de définir les grands traits du héros romantique au théâtre.

COMMENTAIRE

Vous commenterez la tirade de Lorenzaccio, p. 201.

DISSERTATION

La critique Florence Naugrette affirme : « le héros du drame romantique brille paradoxalement de se situer toujours dans les marges du pouvoir, quel qu'il soit ». À partir des textes du corpus et de vos lectures personnelles, vous montrerez en quoi le héros romantique au théâtre est un personnage « en marge ».

ÉCRITURE D'INVENTION

Dans la scène 1 de l'acte I d'*Il ne faut jurer de rien*, Musset ironise légèrement sur la littérature de son temps et sur les drames. À votre tour, vous écrirez un monologue (en vers ou en prose), dans lequel vous parodierez* le héros romantique.

LECTURES

IL NE FAUT JURER DE RIEN

Théophile Gautier, écrivain et critique, est frappé par le style d'*Il ne faut jurer de rien*. Il fait l'éloge du proverbe* et, implicitement, d'un art du dialogue propre à Musset.

> « Quel charme lorsqu'on est condamné comme nous au vaudeville et au mélodrame à perpétuité d'entendre un ouvrage de langue humaine en pur dialecte français, et d'être débarrassé, une fois pour toutes, de cet horrible patois vulgaire qu'on parle et surtout qu'on écrit partout aujourd'hui ! Comme cette phrase est nette, vive, alerte ! Comme l'esprit pétille au choc du dialogue ! Que de malice, et en même temps quelle tendresse ! La bouche sourit et l'œil brille, lustré par l'émotion. »

Théophile GAUTIER,
Histoire de l'art dramatique, 1848.

Sainte-Beuve, quant à lui, émet des réserves. De manière quelque peu injuste, il reproche implicitement à Musset ses tendances alcooliques. Or, en 1837, lorsqu'il compose *Un caprice*, Musset ne souffre pas de ce penchant pour l'alcool, qui ne s'accentuera que plus tard.

> « Il y a de bien jolies choses, mais le décousu et le manque de bon sens m'ont frappé. Les caractères sont pris dans un monde bien étrange… Tout cela est sans tenue, sans consistance, sans suite. C'est un monde fabuleux, ou vu à travers une goguette et dans une pinte de vin. L'esprit de détail et la drôlerie imprévue font les frais de la scène, et raccommodent à tout instant la déchirure du fond. »

Charles Augustin SAINTE-BEUVE,
Mes Poisons, œuvre posthume, 1926.

Maurice Rat pense que le principal intérêt de la pièce réside dans le personnage de Cécile.

> « *Il ne faut jurer de rien* est un de ces "proverbes" de Musset où le romantisme tient peu de place. [...] C'est l'héroïne de la pièce, une jeune fille, Cécile de Mantes, moins romanesque et plus pure que l'Elsbeth de *Fantasio*, qui en fait le plus grand charme. Cécile est l'une de ces jeunes créatures pour lesquelles le mal n'existe pas. »

> Maurice RAT, *Introduction au théâtre de Musset*,
> Garnier-Flammarion, 1964, p. 82.

Bernard Masson, éminent spécialiste de Musset, souligne l'importance de la dramaturgie* d'*Il ne faut jurer de rien*, notamment dans la construction d'espaces symboliques.

> « Même dans les comédies mondaines, Musset soigne le décor final, pour la simple raison qu'il a le dernier mot et qu'il donne un sens à la comédie. Assurément les deux fiancés d'*Il ne faut jurer de rien* auraient pu terminer leur carrière sous les seuls regards complices de la baronne et de l'oncle à héritage. Mais leur long passage par les étoiles met leur amour à l'unisson du mouvement des planètes et de l'ordre des choses. L'union des cœurs s'augmente de toute la richesse du monde environnant et tire sa force d'être une étincelle du foyer commun. »

> Bernard MASSON, *Introduction au théâtre d'Alfred de Musset*,
> Paris, Garnier-Flammarion, 1988, p. 16.

Dans une brillante biographie consacrée à Musset, Frank Lestringant souligne à la fois l'ancrage d'*Il ne faut jurer de rien* dans son époque et son caractère atemporel.

> « [...] Le chef-d'œuvre de cette période d'équilibre précaire est sans conteste l'époustouflant proverbe *Il ne faut jurer de rien*, enchaînement délirant de coq-à-l'âne et de situations cocasses [...]. Ce tableau de mœurs de la monarchie de Juillet introduit à une comédie

qui n'est d'aucun temps, et dans laquelle des traits de la société d'Ancien Régime s'entremêlent à la réalité contemporaine. Par là même, *Il ne faut jurer de rien* échappe aux pesanteurs et au conformisme de son époque. »

Frank LESTRINGANT, *Musset*,
Flammarion, coll. « Grandes Biographies », 1999.

UN CAPRICE

Un caprice marque le succès de Musset au théâtre. Très perspicace, Théophile Gautier est le premier à souligner l'originalité et la force du style du proverbe.

« Ce petit acte, joué samedi au Français, est tout bonnement un événement littéraire. […] Depuis Marivaux, qui est arrivé au génie à force d'esprit, il ne s'est rien produit à la Comédie-Française de si fin, de si délicat, de si doucement enjoué que ce chef-d'œuvre mignon ; […] Qu'Alfred de Musset fasse un acte plein d'esprit, d'humour et de poésie, cela n'a rien d'étonnant ; mais la chose à laquelle on ne s'attendait guère, surtout pour un proverbe qui n'a pas été écrit en vue du théâtre, c'est la prodigieuse habileté, la rouerie parfaite, la merveilleuse divination des planches, qu'on remarque dans *Un caprice*. […] Comme tout cela est ménagé, préparé, filé avec art ! comme cela se tient en équilibre sur la pointe d'une aiguille ! »

Théophile GAUTIER, *La Presse*, 29 novembre 1847.

Le critique Maurice Rat effectue un parallèle entre *Un caprice* et le proverbe mondain du XVIIIe siècle. Il souligne implicitement l'une des sources de Musset.

« *Un caprice* est, des pièces de Musset, celle qui est le plus près du petit théâtre du XVIIIe siècle. »

Maurice RAT, *Introduction au théâtre de Musset*,
Garnier-Flammarion, 1964.

Simon Jeune, quant à lui, étudie l'évolution thématique dans l'œuvre de Musset. Il note la nouvelle lecture qu'*Un caprice* offre de la représentation du sentiment amoureux.

« Le thème principal de ce proverbe est profondément mussétien : on y découvre en effet l'oscillation fondamentale entre la tentation du donjuanisme – ici condamnée – et celle de l'hommage rendu à la vertu des femmes, qui apparaît sous ses deux formes extrêmes : l'être aimant, candide et désarmé, qui ne sait que pleurer, et la femme mondaine aguerrie, et même agressive à l'égard des hommes qu'elle combat et vainc en faisant de sa faiblesse une force. »

Simon JEUNE, notice d'*Un caprice*,
Théâtre complet d'Alfred de Musset,
Gallimard, coll. « Bibliothèque de la Pléiade », 1990.

LIRE

ÉDITIONS DE L'ŒUVRE DE MUSSET

Alfred de MUSSET, *Œuvres complètes*, éd. Philippe Van Tieghem, Paris, Le Seuil, coll. « L'Intégrale », 1963.

Alfred de MUSSET, *Théâtre complet*, éd. Simon Jeune, Paris, Gallimard, coll. « Bibliothèque de la Pléiade », 1990.

Alfred de MUSSET, *Lorenzaccio*, *On ne badine pas avec l'amour et autres pièces*, éd. Bernard Masson, Paris, Garnier-Flammarion, 1988.

Alfred de MUSSET, *Nouvelles*, éd. Sylvain Ledda, Paris, La Chasse au Snark, 2002. Voir notamment l'introduction et les liens établis entre l'univers d'*Il ne faut jurer de rien*, d'*Un caprice* et des *Nouvelles*.

ÉTUDES SUR LA VIE ET L'ŒUVRE DE MUSSET

Frank LESTRINGANT, *Alfred de Musset*, Paris, Flammarion, coll. « Grandes Biographies », 1999.

Philippe SOUPAULT, *Alfred de Musset*, Paris, Seghers, coll. « Poètes d'aujourd'hui », 1957.

Philippe VAN TIEGHEM, *Alfred de Musset*, Paris, Hatier, coll. « Connaissance des Lettres », 1969.

Revue *Europe*, novembre-décembre 1977, numéro consacré à Musset.

**ÉTUDES SUR *IL NE FAUT JURER DE RIEN*,
UN CAPRICE ET SUR LE THÉÂTRE DE MUSSET**

Alain HEYVAERT, *La Transparence et l'indicible dans l'œuvre d'Alfred de Musset*, Paris, Klincksieck, 1994.

Simon JEUNE, *Musset et sa fortune littéraire*, Bordeaux, Ducros, 1970.

Sylvain LEDDA, « Convenances et fantaisies : la dramaturgie de l'accueil dans les proverbes d'Alfred de Musset », *L'Hospitalité au théâtre*, sous la direction d'Alain Montandon, Clermont-Ferrand, Presses Universitaires Blaise Pascal, 2003.

Sylvain LEDDA, « Gautier juge de Musset : *Un caprice* et *Il ne faut jurer de rien* à la scène », *Actes du colloque « Gautier et le théâtre »*, Montpellier, Presses Universitaires de Montpellier, 2004.

Bernard MASSON, « Théâtre et langage. Essai sur le dialogue dans les comédies de Musset », Lettres modernes, n° 7, coll. « Langues et style », Minard, 1977.

LES TERMES DE CRITIQUE

Abyme (mise en) : procédé qui consiste à inclure dans l'œuvre (littéraire, picturale ou théâtrale) une œuvre de même genre.

Aparté : dans le dialogue, paroles d'un personnage à l'insu de son interlocuteur. L'aparté peut s'adresser à soi-même ou à un autre personnage, voire aux spectateurs.

Bienséances : convenances, règles instaurées par la doctrine classique au théâtre. Les bienséances interdisent la représentation de la mort et de la sexualité sur scène.

Changements à vue : changement de décor sous les yeux des spectateurs, procédé est très fréquent à l'époque romantique.

Comédie : genre théâtral qui met en scène des personnages de classe moyenne et dont le dénouement est généralement heureux. Les comédies de Musset font exception à cette règle puisqu'elles se terminent souvent dramatiquement.

Comparaison : figure de style qui consiste à rapprocher deux idées ou deux objets au moyen d'un comparant (« comme »). La comparaison permet de donner du sens par un processus analogique.

Couleur locale : ensemble des détails qui caractérisent un pays ou une époque. La couleur locale est l'une des composantes du théâtre romantique.

Coup de théâtre : action imprévue qui modifie le déroulement de l'intrigue. Dans la comédie traditionnelle, le coup de théâtre survient souvent au dénouement.

Dandy : jeune homme élégant qui affecte une grande recherche dans sa tenue (dandysme). Élitiste et désabusé, il se définit par sa « grandeur sans conviction » (voir p. 162).

Didascalies : ensemble des indications fournies par le dramaturge. Elles concernent les mouvements, les gestes, l'humeur, etc., des personnages.

Double destination : expression employée quand les personnages se parlent entre eux et s'adressent aussi au public. La double destination crée souvent une connivence avec le spectateur.

Dramaturgie : art de composer des pièces. Par extention, le terme désigne les principes qui régissent la composition des pièces des œuvres théâtrales.

Exposition : début d'une œuvre dramatique où l'intrigue, les personnages et les circonstances de l'action sont présentés.

Emphase : exagération grandiloquente (tournure emphatique).

Fantoche : personnage grotesque et ridicule, souvent décalé par rapport à la situation.

Hyperbole : figure consistant à exagérer le sens des propos par le choix des mots ou une ponctuation expressive (tournure hyperbolique).

Libertin : au XIXe siècle, jeune homme qui s'adonne aux plaisirs en se souciant peu de la morale.

Lyrisme : à l'origine, poésie chantée avec accompagnement de la lyre. Expression poétique des sentiments intimes. Le lyrisme est le registre de prédilection des romantiques.

Métadiscours (adj. métadiscursif) : discours à l'intérieur d'un discours. Ex. : dialogue qui évoque le théâtre dans une pièce de théâtre.

Métaphore : figure de rhétorique désignant un objet ou une situation par un autre objet qui entretient avec le premier un rapport d'analogie.

Parodie : imitation caricaturale à des fins comiques et satiriques★.

Péripétie : changement assez brusque de situation inscrite dans la progression de l'action dramatique.

Pointe : trait incisif, mot d'esprit qui pique l'interlocuteur.

Proverbe : genre né dans les salons mondains au XVIIe siècle (voir p. 164). Généralement bref, il met en scène un proverbe ou une maxime illustré par le déroulement de l'intrigue. Il fait appel à la complicité du public et s'apparente parfois à la comédie de mœurs.

Quiproquo : erreur qui fait prendre un personnage pour un autre.

Roman épistolaire : roman par lettres, très en vogue au XVIIIe siècle. *La Nouvelle Héloïse* de Rousseau et *Les Liaisons dangereuses* de Laclos sont deux romans épistolaires très célèbres.

Roman noir : récit qui repose sur l'horreur et l'épouvante, qui met en scène des catacombes, des cimetières, etc. Ex. : *Le Moine* de Lewis (1796).

Romanesque : désigne une attitude sentimentale et un caractère aventureux.

Satire : forme de comique qui critique en se moquant (comique satirique).

Tableau : scène qui reconstitue un lieu ou une situation.

Type : personnage qui représente telle ou telle catégorie d'êtres et qui comporte des traits caractéristiques. Dans *Il ne faut jurer de rien*, Van Buck est le type de « l'oncle à héritage ». Dans *Un caprice*, Chavigny est le type du marie libertin, etc.

Vaudeville : genre théâtral léger et divertissant qui développe une intrigue amusante et comporte des couplets chantés.

POUR MIEUX EXPLOITER
LES QUESTIONNAIRES

Ce tableau fournit la liste des rubriques utilisées dans les questionnaires, avec les renvois aux pages correspondantes, de façon à permettre des **études d'ensemble** sur tel ou tel de ces aspects.

Rubriques	Il ne faut jurer de rien	Un caprice
Dramaturgie	27, 43, 45, 57, 66, 71, 75, 81, 85, 93, 96	101, 115, 137, 145
Genres	94, 96	
Mise en scène	39, 65, 85, 94, 95	125, 127, 143, 145
Personnages	27, 45, 66, 71, 75, 81, 93, 94, 95	101, 111, 119, 125, 143, 145
Registres et tonalités	33, 43, 51, 57, 71, 81, 85, 89, 93, 94	127
Thèmes	51, 65, 89, 95	115, 125, 137, 143
Société	33, 39, 43, 75	111, 145
Stratégies	27, 33, 39, 51, 57, 65, 85, 89	101, 111, 119, 125, 127, 137, 143
Style	45, 66	101